déclic

Méthode de français

D1370093

2

Jacques Blanc

Jean-Michel Cartier

Pierre Lederlin

CLE
INTERNATIONAL

Tableau des contenus

Écoute   **Parler**   **Écrire**

Grammaire et actes de langage	Phonétique / Prosodie / Écoute
• Impératif. Impératif, négation et pronoms. • Adjectif → adverbe. • Pour prendre congé. Pour téléphoner.	• Intonation : ordre et demande • Comparatif, superlatif
• Comparatif, superlatif. • Pronoms toniques ou avec préposition (moi, toi...). • Les couleurs, l'argent, pour parler dans un magasin.	• Opposition entre [wa], [ɥi], [wi]
• Passé composé. Passé composé et négation. • Quand ? Il y a combien de temps ? Depuis, il y a... La fréquence. • Quand on ne comprend pas ou quand on ne connaît pas un mot.	• Opposition entre [ɔ], [o]
• Futur proche, situer dans le passé et le futur (il y a..., dans...), encore ≠ ne... plus, déjà ≠ ne... pas encore. • Pour parler de projets.	• Élision du « e » et abréviations en français familier
• Futur simple. • Les adjectifs démonstratifs – révision des adjectifs possessifs. • Beau / bel, nouveau / nouvel, vieux / vieil. • Pour parler des études. Pour dire son indifférence ou sa neutralité.	• [e], [ɛ], [j]
• Le, la, les pronoms compléments. • Pour situer dans le passé : il y a, hier, dernier... • Pour raconter : d'abord, ensuite, enfin... • Pour expliquer pourquoi : pourquoi, parce que, à cause de, grâce à.	• Liaisons et enchaînements (2)
• L'imparfait. • Le, la, les pronoms compléments pour les personnes. • Pour se plaindre, se réjouir.	• Extrait de la chanson de Charlélie Couture : *Jacobi marchait*
• Imparfait ou passé composé ? • Les pronoms compléments COD : me, te, le, la, vous... • Faire + infinitif. Si + adjectif / adverbe que...	• Extrait de la chanson de Charlélie Couture : *Jacobi marchait* (suite)
• Le pronom en (substitut d'un nom avec partitif, complément indirect, de lieu). • Le pronom y (lieu). • Le passé récent. • Pour proposer, accepter, refuser.	• Extrait de la chanson créée pour Jenifer : *Que reste-t-il ?*
• Les pronoms relatifs qui, que. Les adjectifs démonstratifs + là. • Les numéraux ordinaux. Le / la même que. • Laver, se laver, se laver les mains... • Pour décrire un appartement ou une maison.	• Prononciation des ordinaux
• Le discours rapporté : dire que, demander si. • Les pronoms personnels indirects : me, te, lui... • Depuis, il y a, il y a... que. • Pluriel des noms en –al.	• Liaisons avec le pronom « en »
• La fréquence. Toujours, souvent, jamais. • Le superlatif des adjectifs et la place de ces adjectifs. • Quand (conjonction de subordination). • Pour approuver et désapprouver.	• Parler correctement / parler jeune
• Hypothèse ou condition : si + présent. • Beaucoup, trop, beaucoup trop, assez, bien assez pour. • Aussi / autant... que.	• Extrait de la chanson de Jacques Higelin : *La Croisade des enfants*
• Pour demander quelque chose dans un magasin. Mesures et quantités. • Révision des partitifs du et des pronoms en et y. Ne... que... • Pour exprimer son agacement.	• Histoires drôles
• Révision de à / en + au + ville ou pays. • La veille, le lendemain, la semaine précédente / suivante... • Le pronom relatif où. • Commencer, continuer, arrêter. • Pour féliciter. Pour exprimer certitude, incertitude, ou supposition.	• Voyages à la nage

CLE International, 2004, ISBN : 209-033378-2

Avant-propos

● Une méthode d'enseignement du français langue étrangère à des adolescents débutants complets :
- trois niveaux (de quinze unités) pour une utilisation de 90 à 120 heures pour chaque niveau ;
- trois séquences par niveau : chaque séquence regroupe cinq unités autour d'objectifs affichés en tête de séquence. Une page d'évaluation en fin de séquence permet de vérifier que les objectifs ont été atteints ;
- des pages DELF présentes dans chaque séquence, ainsi que des précisions dans le livre du professeur, permettent une préparation efficace au DELF scolaire (A1 et A2).

● Trois types d'unités :
- des unités à dominante « TU » qui présentent les interactions entre jeunes ou en famille. Les séquences 2 et 3 présentent un « feuilleton » : les aventures de la famille Delprat et de ceux qui les observent ;
- des unités à dominante « VOUS » introduisent les interactions avec des adultes et entre adultes ;
- des unités à dominante « ILS ». Alors que les unités « TU » et « VOUS » permettent de « parler à… » (interactions), les unités « ILS » proposent de « parler de… » (décrire, présenter, raconter).

● Cinq étapes pour chaque unité :
- une double page d'introduction des nouveautés (dialogues, bandes dessinées ou textes) ;
- « Écoute ! » : le travail sur la phonétique et la prosodie, l'entraînement à l'écoute ;
- « Je t'explique… » : les outils (grammaire, vocabulaire, actes de parole) objets de l'unité ;
- « À toi de parler ! » : le travail d'acquisition systématique (oral) de ces outils ;
- « À toi de jouer ! » : activités ludiques de mise en œuvre, jeux, prises de paroles, jeux de rôles, actes communicatifs écrits.

Des pages de lecture pour le simple plaisir de lire et de comprendre, au niveau de compréhension adapté.

Des pages *Civilisation* pour compléter les savoirs culturels présentés dans les unités ; elles proposent des activités variées à partir des informations présentées.

Un repérage des activités spécifiques d'entraînement au DELF ED ou susceptibles de faire partie d'un Portfolio PF.

Un Cahier d'activités riche et varié complète le manuel et propose de nombreuses activités complémentaires écrites et d'écoute.

Des enregistrements qui, pour de nombreuses activités, soulignent le choix de présenter une langue proche de l'authentique (les expressions familières et argotiques sont précédées du signe *).

Un Livre du professeur complet qui donne à l'enseignant des idées d'utilisation, des réponses, des corrigés, des explications sur les documents utilisés, les photos présentées.

Une méthode motivante par la variété de ses activités, l'attrait des fictions.

Une méthode claire par sa présentation.

Une méthode efficace :
- les savoir-faire communicatifs sont privilégiés, en particulier par la place importante allouée aux activités orales ;
- les compétences sont évaluées et constatées pas à pas.

Séquence

La valise grise

(quatrième épisode – suite de Déclic 1)

Écoute!

Vous pourriez aller plus vite, s'il vous plaît ?	*Tu pourrais répéter, s'il te plaît ?*
Allez plus vite !	*Répète !*
Vous ne pouvez pas aller plus vite, non ?	*Tu peux répéter, s'il te plaît ?*
Allez, quoi ! Allez plus vite !	*Allez, quoi ! Répète !*

Je t'explique...

→ L'impératif

Comme le présent de l'indicatif :

je parle   → *parle !*

nous parlons → *parlons !*

vous parlez   → *parlez !*

boire   → *bois ! / buvons ! / buvez !*

prendre → *prends ! / prenons ! / prenez !*

sortir   → *sors ! / sortons ! / sortez !*

Quelques exceptions :

aller   → *va ! / allons ! / allez !*

être   → *sois ! / soyons ! / soyez !*

avoir → *aie ! / ayons ! / ayez !*

→ Impératif, négation et pronom

— *Je pars maintenant ?* — *Oui, **partez** maintenant.*

— *Non, **ne partez pas** maintenant.*

— *J'y vais ?*   — *Oui, **allez-y** !*

— *Non, **n'y allez pas** !*

N. B. : quand on parle, on oublie souvent le « ne » :

— **Fais pas ça : c'est dangereux !*

— **Soyez pas en retard, hein ?*

→ Adjectif → adverbe

rapide → rapidement : *Il travaille rapidement.*

exact / exacte (féminin) → exactement : *Il est exactement midi.*

immédiat / immédiate (féminin) → immédiatement : *Il faut partir immédiatement.*

parfait / parfaite (féminin) → parfaitement : *Ne répétez pas, je comprends parfaitement !*

lent / lente (féminin) → lentement : *Parlez plus lentement s'il vous plaît, je ne comprends pas.*

→ Pour dire au revoir

— *Bon, au revoir !*	— *À demain !*	— *Bonne journée !*
— *Allez, au revoir monsieur !*	— *À bientôt !*	— *Bonsoir !*
— *Allez, salut Julien !*	— *À tout à l'heure !*	— *Bonne soirée !*
	— *À tout de suite !*	— *Bonne nuit !*
	— *À un de ces jours !*	

◑⤳ *Pour téléphoner*

commencer	— *Allô! Bonjour, ici Julien Mérieux…* *Je vous appelle / téléphone pour… / parce que…* — *Allô! Salut! C'est moi, Julien… dis, je t'appelle pour… /* *parce que…*
demander quelqu'un	— *Est-ce que je peux parler à… s'il vous / te plaît ?* — *Je voudrais parler à… s'il vous / te plaît.* — *Passe-moi Loïc, tu veux ?*
répondre	— *Oui, c'est de la part de qui ? Ne quitte(z) pas.* *Un moment / Un instant s'il vous / te plaît.* — *Désolé(e) / Je regrette, il / elle n'est pas là.* *Vous voulez / Tu veux laisser un message ?* *Vous pouvez / Tu peux rappeler plus tard / demain ?* — *Je regrette, ici il n'y a pas de Loïc, c'est une erreur.*

🗣 À toi de parler! 🗣

❶ Sors immédiatement!

— Je dois sortir ?

— Oui, sors immédiatement!

— Marie aussi ?

— Oui, sortez immédiatement tous les deux!

| **sortir** → manger plus lentement ; aller au lit ; partir calmement ; venir rapidement

❷ Pas d'accord!

— Entrons!

— Ah non, pas d'accord! N'entrez pas!

| **entrer** → sortir ; fumer ; manger ; boire ; attendre ; travailler ; dormir ; regarder la télévision ; lire…

❸ Allô!

— Allô ? Ici Julien. Je pourrais parler à Junie, s'il vous plaît ?

— Vous voulez parler à qui ? Julie ?

— Non, Junie, J. U. N. I. E.

— Ah! Désolé(e), elle n'est pas là. Vous pouvez rappeler plus tard, s'il vous plaît ?

— D'accord, Merci.

— Je vous en prie, bonne journée.

| **Junie** → M. LHERMIER ; Mme PINAULT ; Mlle RICHAUD ; GARCIA-BEYSSAC ; Yvan ; M. GARÈCHE ; Martin DESTRÉE ; Mme GEOFFROY ; Anne D'ALANÇON

❹ C'est mieux!

— Je prends mon vélo ou ma voiture ?

— Ne prends pas ta voiture, prends plutôt ton vélo, c'est mieux!

| **mon vélo / ma voiture** → le train / l'avion ; vidéocassette / DVD ; valise / sac ; livres / BD…

❺ Quel numéro ?

— Tu as le numéro de téléphone de Léo ?

— Oui, attends… Alors, son numéro, c'est le 06 75 07 16 36.

— 06 75 07 16 36? C'est ça ?

| **Léo** → Zoé, Vincent, Karine…

Léo	: 06 75 07 16 36
Zoé	: 06 57 48 98 57
Vincent	: 06 75 32 10 98
Karine	: 06 37 76 15 32
Damien	: 01 45 69 13 42
Émilie	: 06 89 86 00 11
Julien	: 06 54 12 78 76
Xavier	: 06 93 47 82 99
Fanny	: 06 58 59 63 23
Marion	: 06 85 52 23 21

Activités complémentaires: voir le *Cahier d'exercices* pp. 3-4

À toi de jouer !

1 Quelles sont ses coordonnées ?

Choisissez une personne dans cette liste et dites ses « coordonnées » (= numéro de téléphone et adresse) à votre voisin(e) qui ne comprend pas bien et vous demande de répéter. Puis changez les rôles.

— Elle s'appelle / son nom est …
elle habite / son adresse est …
son numéro est …

GALLET Alice 567, av. de la République	03 12 47 56 13
GARNIER Virginie 13, r. Nicolet	03 14 56 27 17
GARNOT Thomas 23, pl. du Théâtre	03 15 43 87 09
GAUDINOT Anne 35, r. de Madrid	03 13 21 78 64
GENDRON Sophie 26, bd. Émile Zola	03 14 42 37 98
GENET Claire 42, r. Bonaparte	03 16 04 19 88
GIRAUDIN Fabrice 88, r. de Nantes	03 15 61 36 14
GIROTTI Pierre 9, pl. de la Mairie	03 78 52 90 46
GLODOWSKI Slawomir 72, r. St-Marcel	03 14 77 46 85
GOBBI Mohamed 33, av. Magenta	03 15 52 49 26

2 Puzzles

Reconstituez les phrases (utilisez tous les mots).

A. comme   Votre   s'   se   nom   écrit   prononce ?   il

B. 76   de   famille   Madrid,   habite   moi.   j'   là,   habite   Maintenant, n'   pas   rue   avec   mais   ma

C. de   Appelez   l'   la   architecte !   immédiatement   secrétaire

D. de   avocat.   Je   la   votre   part   viens   de

3

Deux par deux.

Reconstituez la conversation, puis jouez-la.

— Je ne sais pas... Vous parlez deux langues, vous avez deux portables, deux prénoms, c'est bizarre, non ?
— Vous avez une autre adresse ?
— Mais non, pourquoi ? J'ai aussi deux nationalités, mais j'ai seulement un nom !
— Une autre adresse ? Non, pourquoi ?

4

Et ta sœur ?

 Combien de personnes parlent dans cette conversation ? Jouez-la à plusieurs.

— Allô ?
— Allô ! Bonsoir monsieur. Je peux parler à votre fille ?
— Vous voulez parler à ma fille ? Euh… ne quittez pas.
— Merci.
— Allô ?
— Allô ? Ici Rémy.
— Rémy. Je ne connais pas de Rémy.
— C'est toi, Mélanie ?

>>>

>>>
— Non, je ne m'appelle pas Mélanie.
— Ah... Je peux parler à ta sœur ?
— Ma sœur, mais elle dort, ma sœur !
— Ah ! Euh... tu es sûre ?
— Ben oui, elle a deux ans... et moi, j'ai six ans !
— Ah !... Excuse-moi, je... c'est...
— C'est une erreur de numéro, oui ! Hi hi hi !

 Maintenant écoutez la conversation puis jouez-la encore, livre fermé.

5

Encore une erreur ?

A. Écoutez la conversation, puis jouez-la et continuez-la (Solange Dupont veut parler à Mme Bayard, pas Mme Gaillard).

B. Jouez d'autres coups de téléphone entre jeunes (« tu ») et entre adultes (« vous »).

6

Je voudrais un rendez-vous, SVP.

Jouez la conversation.

→ A téléphone au dentiste.
→ B la secrétaire répond :
   « Cabinet du docteur Duval, bonjour ! »
→ A demande un rendez-vous.
→ B demande pour quand.
→ A demande pour demain.
→ B propose une heure et demande le nom de A.
→ A répond.
→ B ne comprend pas et demande de répéter, puis d'épeler.
→ A répète et épelle.
→ B répète la date et l'heure, et dit au revoir.
→ A remercie et dit au revoir.

*Passer un coup de fil = donner un coup de téléphone = téléphoner

 Maintenant, écoutez la conversation.

7

Jeu de rôles.

Choisissez un rôle (A1 ou B1 ; A2 ou B2) et regardez les fiches (Cahier d'activités pp. 75-76) avant de jouer.

8

Présentation sur Internet.

 Présentez-vous : donnez vos coordonnées, dites ce que vous aimez...

Autres activités : voir le *Cahier d'exercices* pp. 5-6

---→❷ Ça vous plaît ?

1

LA VENDEUSE : Je peux vous aider ?
LA CLIENTE : Euh… non merci,
je voudrais juste regarder.
LA VENDEUSE : Je vous en prie.

2

LA VENDEUSE : Vous désirez… ?
LE CLIENT : Je cherche un pantalon noir.
LA VENDEUSE : Noir ? Ah! Il n'y a pas beaucoup de noir,
cette année. Vous avez ce modèle, ici…
LE CLIENT : Il coûte combien ?
LA VENDEUSE : 120 euros. Vous voulez l'essayer ?
LE CLIENT : 120 euros ?… Non, merci, je vais réfléchir.
LA VENDEUSE : Au revoir monsieur, bonne journée.

3

LA VENDEUSE : Vous désirez… ?
ÉMILIE : On voudrait voir des pulls, s'il vous plaît.
V. : C'est pour vous ?
É. : Non, ce n'est pas pour moi, c'est pour lui!
V. : Quelle couleur vous préférez ?
ALEX. : À mon avis, c'est le jaune le plus joli.
É. : Ah non! Moi, je préfère le rouge… Il est bien, le rouge!
A. : Eh bien moi, j'aime mieux le jaune. Je vais essayer le jaune.
V. : Vous faites quelle taille ?
A. : Ma taille ? Euh… Je ne sais pas.

4 É.: Il te va ? Il te plaît ?

A.: Euh, pas mal, mais ce n'est pas ma taille ! Il est trop long, non ?

É.: Mais non, c'est à la mode ! C'est comme ça, cette année : les vêtements courts, c'est fini. En plus il va bien avec ton pantalon.

A.: Écoute, j'aime bien changer mais j'ai l'air bête avec ce truc ! Et il coûte combien ?

É.: 55 euros.

A.: 55 euros ! Avoir l'air bête pour 55 euros, c'est trop cher pour moi !

É.: Dommage, c'est le plus beau.

A.: Oui, mais je dois aussi acheter un cadeau.

É.: Un cadeau ? Pour qui ?

A.: Pour papa !

É.: Ah oui, la fête des pères. Moi, c'est fait... Eh bien, achète une cravate !

A.: Non, attends, j'ai une meilleure idée, euh…

É.: Alors ? C'est quoi, ton idée ?

A.: Euh… Pas facile de trouver une idée ! Bon, d'accord, j'achète une cravate.

V.: Euh… Excusez-moi, vous prenez le pull ?

A.: Le pull ? Non, merci !

Ça vous plaît la mode ?

*Vachement ! Les *fringues c'est super !

*Bof ! Moi je m'en *fiche ! L'important c'est d'être habillé !

5 A.: Je voudrais une cravate, s'il vous plaît.

V.: De quelle couleur ?

A.: *Bof... Aucune idée.

V.: Voilà une cravate bleue à 18 euros et une autre jaune à 30 euros.

A.: Eh *ben, c'est simple : je prends la moins chère des deux !

V.: Très bien, jeune homme. C'est pour offrir ?

A.: Oui, c'est un cadeau pour mon père.

V.: Ah, je vois. Je vous fais un paquet cadeau, alors.

A.: C'est ça, merci.

SPECIAL FÊTE DES PÈRES

Écoute!

Poésie	
Il fait froid	*Il fait noir*
Voilà le soir	*Il fait nuit*
Il fait nuit	*Il fait nuit noire sur Paris*
Voilà la pluie	*Il pense à toi*
	Tu penses à lui ?

[wa]	[ɥi]	[wi]
moi	la nuit	oui
toi	la pluie	Louis
trois	un fruit	Louise
je crois	aujourd'hui	

Je t'explique...

→ Moi, toi...

je → pour **moi**   il → pour **lui**   on / nous → pour **nous**   ils → pour **eux**

tu → pour **toi**   elle → pour **elle**   vous → pour **vous**   elles → pour **elles**

Moi, je suis anglais, et **toi** ? Tu vas chez **lui** avec **eux** ? Il est européen, comme **moi**.

— Il est où, **lui** ? – Il est là, derrière / devant **toi**.

— C'est à **toi**, ça ? – Ça, non, ce n'est pas à **moi**, c'est à **lui**.

→ Le comparatif (moins / plus / aussi + adjectif ou adverbe + que...)

Léo court **plus** vite **que** moi (plus rapidement, moins lentement) mais pour les mathématiques,
je suis **aussi** bon **que** lui = je travaille **aussi** bien **que** lui.

~~plus bien~~ → **mieux**   ~~plus bon~~ → **meilleur**

Léa travaille **mieux que** Romain, elle est **meilleure que** lui.

→ Le superlatif

Le pantalon blanc est **plus** cher **que** le pantalon gris et **que** le bleu.

Le pantalon blanc est **le plus** cher (des trois).

Le gris est le pantalon **le moins** cher.

~~le plus bien~~ → **le mieux**   ~~le plus bon~~ → **le meilleur**

C'est Léa qui travaille **le mieux** (de tous) / est **la meilleure** (de tous).

→ Dans un magasin

Vous dites :

Je voudrais... s'il vous plaît.

Vous pouvez me montrer... ?

Vous avez... s'il vous plaît ?

Vous n'avez pas autre chose ?

Il n'y a pas quelque chose de moins cher ?

Ça coûte combien ?

Je voudrais juste regarder.

Je vais réfléchir.

On vous demande :

Vous désirez ?

Je peux vous aider ?

Qu'est-ce que vous voulez ?

Il vous va très bien. Il vous plaît ?

Vous le / la prenez ?

Vous désirez autre chose ?

Et avec ça ?

C'est tout ?

⟶ *Les couleurs*

masculin	féminin	pluriel
marron orange		
rouge jaune		rouges jaunes
bleu	bleue	bleus, bleues
noir	**noire**	**noirs, noires**
gris	grise	gris, grises
violet	violette	violets, violettes
vert	verte	verts, vertes
blanc	**blanche**	**blancs, blanches**
brun	brune	bruns, brunes

⟶ *L'argent*

De l'argent, un billet,
une pièce, de la monnaie :

— Vous avez de la monnaie de 20 euros ?
— Oui, voilà.

On écrit : 2,50 €,
on dit deux euros cinquante.
On écrit 0,50 €,
on dit cinquante centimes.

*un euro =
100 centimes*

Mardi 30 Septembre

À partir de **1 €**　　Jusqu'à **40 €**

Cet appareil rend la monnaie.

👥 À toi de parler ! 👥

① Plus grande ou plus petite ?
— Strasbourg est plus grande ou plus petite que Nantes ?
— Strasbourg est presque aussi grande que Nantes.

▌ **Strasbourg / Nantes** → autres villes

▌ **Les grandes villes de France**

Paris	2 115 757 habitants
Marseille	797 701 habitants
Lyon	445 263 habitants
Toulouse	390 712 habitants
Nice	341 016 habitants
Nantes	268 683 habitants
Strasbourg	263 896 habitants
Montpellier	224 856 habitants
Bordeaux	214 940 habitants

② C'est moi le meilleur !
— L'hôtel est grand, à votre avis ?
— Oh oui, c'est l'hôtel le plus grand de la ville.

▌ **grand hôtel** → restaurant bien situé ; saison chaude ; langue compliquée ; actrice bien habillée ; bonne soupe ; route dangereuse ; train rapide

③ C'est l'exercice le plus facile ?
— Le Liechtenstein est petit ?
— Oui, c'est le pays le plus petit d'Europe.
— Ce CD est vieux, non ?
— Non ! C'est le CD le moins vieux de ma collection.

— La Russie est grande ?
— Oui, c'est le pays... / monde (17 075 400 km²).
— Le mois de juillet est chaud ?
— Oui, c'est le mois... / l'année (en France).
— Le mont Blanc est haut ?
— Oui, c'est la montagne... / d'Europe (4 810 m).
— Ta robe est chère ?
— Non, ... / magasin.
— Ce film est amusant ?
— Non, ... / l'année.
— Il est sympa, ton copain ?
— Oui, ... / mon école.
— Tu es sportif ?
— Non, ... / lycée.

Activités complémentaires : voir le *Cahier d'exercices* pp. 7-8

À toi de jouer !

1 Dans un magasin de vêtements

 Mettez la conversation dans l'ordre, écoutez-la, puis jouez-la.

— Ma taille ? Je ne sais pas...
— Vous faites quelle taille ? Trois ?
— Ah ! Vous n'avez pas une petite idée ?
— Ah ? Bon !
— Bon, je peux vous montrer quelques modèles...
— Ça ne fait rien, je le veux.
— Et ça, ça fait combien ?

— Euh, je ne sais pas...
— Je peux vous aider ?
— Ça ? Mais ce n'est pas un pull, c'est un tee-shirt !
— Non, enfin... si, je veux un pull très chaud.
— Oui, je cherche un pull.
— Oui, pour moi.
— Pour vous ?
— Vous cherchez un pull comment ?

2 Dans un autre magasin

Complétez la conversation (imaginez les répliques qui manquent) puis jouez-la.

— Vous désirez... ?
— Je cherche un pull.
— Oui, je peux vous montrer quelques modèles.
— ...
— ...
— ...
— Bon, d'accord, je prends la chemise.
— Et le pull ?
— Non, pas le pull.

Maintenant, écoutez la conversation.

3 La mode

MODE JEUNE : le sac à dos des ados.

*ado = adolescent.
N. B. : * = langage familier ou argotique.

La mode est importante pour vous ? Qu'est-ce que vous aimez ? Qu'est-ce que vous détestez ?

 Interrogez votre voisin(e), / votre voisin(e) vous interroge.

4 Une journée difficile pour la vendeuse

Cette vendeuse a une journée difficile.

 Imaginez et jouez plusieurs conversations avec des clients difficiles.

5

« Tout ça, c'est des clichés! »

 A. Écoutez, puis jouez la conversation.

B. Continuez la conversation.

— Moi j'aime... / Dans mon pays, on aime...

6 Rendez-vous

Pour me reconnaître, c'est facile. J'ai un tee-shirt...

 Complétez le message pour le garçon, puis écrivez un autre message pour la fille.

7 Texto

Dans un texto (ou SMS) sur un téléphone portable, on utilise le moins possible de lettres.

 Écrivez ce message en français correct.

G H T 1 bo T-shirt.

Autres activités : voir le *Cahier d'exercices* pp. 9-11

La valise grise *(cinquième épisode)*

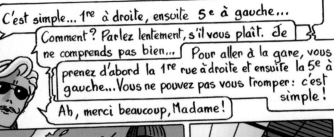

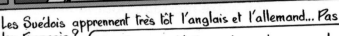

Genève...

D'où venez-vous comme ça ?

Je viens de Rome. Vous êtes partie il y a combien de temps ?

Je n'ai pas compris... Vous pouvez repéter ?

Vous êtes partie depuis combien de temps ?

Je n'ai toujours pas compris ! Qu'est-ce que ça veut dire " Il y a combien de temps " ? Ça veut dire, euh... Vous êtes partie il y a 2 jours... il y a une semaine... hum ? Ah ! Oui...

Je suis partie de Rome il y a 3 jours... vendredi dernier.

Et c'est la première fois que vous venez en Suisse ? Oh, non... Je suis déjà venue ici l'an dernier.

OH, ANTOINE ! ARRÊTEZ CE JEU IDIOT ! C'EST TROP TARD, MAINTENANT !

Vous faites du tourisme ? Non, je ne me promène pas. Je suis venu ici pour mon travail. Je suis photographe, vous comprenez ? Tout à fait... Et c'est la première fois que vous venez ici ?

Oh, non ! Je viens presque une fois par mois... plus exactement, toutes les trois semaines, vous voyez ?

Moi aussi, je viens assez souvent ici, tous les deux mois... Vous restez combien de temps ?

Deux jours seulement... Je suis arrivé hier après-midi et je repars demain matin. Et vous ?

Moi, je suis arrivé de Paris il y a 24 heures. Et je repars après-demain, le 3 juin, quoi... Moi, je prends le TGV, en général. Vous voyagez en voiture, vous ? Non, c'est trop long ; je préfère l'avion... et mes valises ne sont jamais très lourdes... Donc, pas de problème... Vous comprenez ?

À SUIVRE...

Écoute !

[o] le Rhône ; le pôle ; un mot ; un hôtel ; Oh, le pauvre !

[ɔ] Rome ; Paul ; un problème ; une école ; le nord.

Je t'explique...

→ Le passé composé

Hier, je **suis** <u>allé</u> au cinéma, **j'ai** <u>vu</u> le film *On a volé la Joconde.*

avec l'auxiliaire être	avec l'auxiliaire avoir
■ **Quelques verbes :** *aller, retourner, (re)venir, arriver, (re)partir, (r)entrer, (res)sortir, passer, rester, naître...* (liste complète dans le mémento grammatical p. 122) ■ Tous les **verbes pronominaux :** *se coucher, se reposer, se dépêcher, s'ennuyer, se sentir, se souvenir, se tromper...* → *Je me suis ennuyé, tu t'es dépêché, il s'est souvenu...*	■ **Tous les autres verbes :** → *J'ai détesté le film mais j'ai bien aimé la musique.*

Le participe passé ←

■ tous les infinitifs en **-er → -é :**
  j'ai parlé, tu as cherché, elle a écouté, elles ont mangé, il est allé...

■ beaucoup d'infinitifs en **-ir → -i :** *je suis sorti, il s'est senti, elles ont dormi...*

■ avoir → j'ai **eu**, être → tu as **été**

■ autres verbes : voir mémento grammatical p. 122

N. B. : avec être, le participe passé s'accorde comme un adjectif.
Il est venu / elle est venue ; ils sont venus, elles sont venues.
Elle s'est excusée et elle est partie. Ils sont allés à Paris.

→ Passé composé et négation :
ne + auxiliaire + pas / jamais... + participe passé

Elle **n'**est **pas** allée chez lui.   Tu **n'**as **jamais** vu la tour Eiffel ?

Ils **ne** sont **pas** passés par Amiens.   Nous **n'**avons **pas** pu venir plus tôt.

→ Quand ? Il y a combien de temps ?

Il y a 2 ans.   Il y a 1 an.   Il y a un mois.   Il y a une semaine.   Il y a 2 jours.   Il y a un jour.

        L'an dernier.   Le mois dernier.   La semaine dernière.   Avant-hier.   Hier.

→ « Depuis » ou « il y a » ?

*Elle est à Paris **depuis** 2 semaines. (Maintenant, elle est encore à Paris.)*

*Elle est arrivée **il y a** 2 semaines. (Maintenant, elle n'arrive pas à Paris, et on ne sait pas si elle est encore à Paris.)*

La fréquence : souvent, pas souvent, jamais

Tous les ans (= une fois par an). Tous les mois (= une fois par mois).
Tous les quinze jours (= deux fois par mois). Toutes les dix minutes (= six fois par heure).

Quand on ne comprend pas, ou quand ou ne connaît pas un mot

— *Pardon ? Vous pouvez répéter ? Vous pouvez parler plus lentement, s'il vous plaît ?*
— *Qu'est-ce que vous dites ? Parlez plus fort, s'il vous plaît. Vous pouvez épeler ?*
— *Qu'est-ce que ça veut dire « euphémisme » ? — Euh… c'est un peu difficile à expliquer.*
— *J'ai oublié comment on dit « taxi » en français. — Mais on dit « taxi » !*

À toi de parler !

1 Ah bon ? Vous êtes allé(e) au cinéma hier ?

— Aujourd'hui, moi, je vais au cinéma.
— Ah ? Moi, je suis allé(e) au cinéma hier.
— Ah bon ? Vous êtes allé(e) au cinéma hier ?

aller au cinéma → rester au lit ; faire la cuisine ; visiter un musée ; prendre le bateau ; avoir un rendez-vous chez le dentiste ; sortir ; se coucher tard ; se reposer…

2 Tu n'as pas fait les exercices avant ?

— Allô ! Qu'est-ce que tu fais ?
— Je fais les exercices de français.
— Quoi ? Tu n'as pas fait les exercices avant ?

faire les exercices de français → écrire à ma famille ; acheter le livre de grammaire ; aller à la bibliothèque ; apprendre la leçon de français ; partir pour le lycée ; sortir de chez moi ; aller acheter du pain…

3 Pourquoi cette question ?

— Vous avez regardé la télévision, hier ?
— Hier ? Non, je n'ai pas regardé la télévision, j'ai lu le journal. Pourquoi cette question ?
— Oh ! Comme ça. Mon mari et moi, nous avons regardé la télévision. Nous ne lisons jamais le journal.

regarder la télévision → aller au cinéma ; manger au restaurant ; se promener ; lire un roman ; aller au théâtre ; acheter des CD

lire le journal → aller au concert ; manger des sandwiches ; écouter de la musique ; lire des bandes dessinées ; aller au café ; acheter un DVD…

4 Mathématiques

— 12 fois par heure, ça fait combien ?
— Ça fait toutes les 5 minutes, 288 fois par jour !
— Et sept fois par semaine ça fait combien ?
— Ça fait tous les jours, ou une fois par jour.

12 fois par heure / 7 fois par semaine → 1 fois / mois ; 4 fois / mois ; 4 fois / an ; 1 fois / an ; 60 fois / heure ; 12 fois / jour ; 4 fois / heure…

ET TOI, TU M'ENNUIES 365 JOURS PAR AN !

5 Il y a combien de temps ?

— Tu es arrivé(e) il y a combien de temps ?
— Il y a deux semaines.

arriver → se coucher ; manger ; se lever ; arrêter de fumer ; partir ; écrire ; téléphoner ; dormir ; faire du vélo…

tu → vous ; il ; ils ; elles ; elle

6 Depuis quand ?

— Tu connais Julie depuis quand ?
— Julie ? Depuis un an, je pense…
— Tu es sûr(e) ?
— Non, attends, je me suis trompé(e). Depuis un an et demi !

connaître Julie → travailler ici ; attendre le train ; apprendre le français ; chercher du travail ; être ici ; habiter à Marseille…

un an → 3 jours ; 1 heure ; 3 mois

Activités complémentaires : voir le *Cahier d'exercices* pp. 12-13

À toi de jouer!

1 Une lettre en réponse à une invitation

✍️ Complétez la lettre de Romain :

(1) avoir, (2) vouloir, (3) ne pas trouver, (4) chercher, (5) partir,
(6) oublier, (7) rentrer, (8) arriver, (9) ne pas vouloir,
(10) se tromper.

Salut Alexis,

Hier, je ne suis pas venu chez toi pour la fête, je suis désolé.
J'... (1) ... beaucoup de problèmes. J'... (2) ... venir à vélo mais je
... (3) ... mon vélo. Alors ... (2) ... prendre le bus. Mais quand j'...
(2) ... payer, j'... (4) ... mon argent et je ne l'ai pas trouvé. Alors je
... (5) ... à pied. Mais j' ... (6) ... de prendre ton invitation avec ta
nouvelle adresse et ton numéro de téléphone ; alors je ... (7) ...
chez moi (à pied bien sûr). Je ... (8) ... très fatigué et je ne t'ai
pas téléphoné parce que je ... (9) ... t'ennuyer pendant la fête.

J'espère que ta fête s'est bien passée.

À +

Romain

P. S. : Ce matin, j'ai voulu te téléphoner,
mais je ... (10) ... de numéro !

Salut les copains !

J'ai changé de maison
et je vous invite tous pour fêter ça.
Rendez-vous samedi 17 mai à 19 h

3, place des Lices à Saint-Martin.

Venez tous !

Alexis

2

🗣️ Il est un peu compliqué !

Écoutez et répondez.

	Vrai	Faux
Il est parti de chez lui hier.	☐	☐
Il est retourné chez lui, après.	☐	☐
Il a téléphoné à ses amis à cinq heures.	☐	☐
Il a dormi une nuit à l'hôtel.	☐	☐

3

Un entretien

🗣️ **Imaginez les questions puis jouez cet entretien à deux.**

— Je peux vous poser quelques questions
sur votre CV ?
— Oui, bien sûr.
— ... ?
— Depuis deux ans : j'ai commencé en
2003, en septembre 2003 exactement.
— ... ?
— Après mes études universitaires, pour
mieux parler anglais.

— ... ?
— Non Je suis rentré en France pour
ma famille, vous comprenez.
— ... ?
— Non parce que j'ai trouvé un travail
intéressant en France.
— ... ?
— Eh bien, je voudrais changer parce
que j'aime changer, voilà !

Maintenant, écoutez l'entretien et continuez-le.

CURRICULUM VITAE

Antoine Lemaire

né le 12 février 1989

marié

directeur des ventes chez SODIRAP

ÉTUDES

- baccalauréat en 1997
- études universitaires : sciences économiques,
  université de Grenoble de 1997 à 2002
- maîtrise de sciences économiques en juin 2002

SÉJOUR À L'ÉTRANGER

- séjour à New York

4

Une lettre de Julie (de Nice)

 **Regardez les notes
de Julie et complétez sa lettre.**

Nice, le 19 mai

Chers amis

Je ... à Nice ... et j' ... la vieille ville .... Hier matin
aussi, ... L'après-midi je ... promenée sur la Promenade des
Anglais. J' ... notre ami Nicolas. Nous avons beaucoup parlé
de vous. Le soir, nous ... ensemble.

Ce matin, je suis ... musée Masséna.

Après ...

Notes :

17/05 : arrivée (à midi) à Nice
          (après-midi) visite du vieux Nice
18/05 : (matin) visite du vieux Nice
          (après-midi) Promenade des Anglais. Rencontre de N.
          (soir) au restaurant avec N.
19/05 : (matin) musée Masséna (midi) sandwich
          près du Château, vue sur le vieux Nice

Le vieux Nice vu du château

Autres activités : voir le *Cahier d'exercices* pp. 14-16

La télévision

Les principales chaînes de télévision françaises sont TF1 et M6, qui sont privées, et France 2, FR3 (France 3) et France 5-Arte, qui sont des chaînes publiques. Il existe aussi des chaînes spécialisées, mais il faut payer pour voir leurs programmes : ce sont les chaînes câblées.

Les jeunes passent combien de temps devant leur télé ?

Selon une enquête de la Secodip sur les jeunes consommateurs, la durée d'écoute de la télévision est de 9 heures par semaine pour les 2-4 ans, de 12 heures pour les 5-7 ans, de 13 pour les 8-10 ans et atteint 15 heures à 14 ans. Ces chiffres sont confirmés par une étude du ministère de l'Éducation nationale sur « Les collégiens et la télévision ». Les adolescents passent donc beaucoup de temps devant l'appareil, et de nombreuses publicités sont faites pour ces jeunes consommateurs. La moitié des familles possèdent deux télévisions ou plus, et 15 % des élèves disposent même d'un appareil dans leur chambre. Près des deux tiers des collégiens regardent la télévision le soir après le dîner (39 % dès leur retour à la maison), et 17 % le matin, avant les cours. Enfin, un peu plus de la moitié des 12-16 ans (54 %) regardent une vidéo par semaine. Un peu plus de 3 % (3,2 %) des enfants français grandissent sans télévision. La plupart de ces enfants vivent dans des familles aisées.

Qu'en pensent leurs parents ?

Seulement 40 % des mères des plus jeunes trouvent que c'est trop, mais ensuite, ça dépend des notes au collège. Les parents savent que les jeunes qui regardent trop la télévision le soir ont de mauvais résultats scolaires, et ceci est confirmé par l'enquête du ministère de l'Éducation nationale. Quand leurs enfants ont de mauvaise notes, certains parents décident qu'il y aura un ou deux jours par semaine sans télévision. Mais ça peut aller aussi plus loin : irritée par les mauvaises notes de ses enfants, la mère de Mathieu a décidé de supprimer la télévision. Une expérience très dure, vécue comme une désintoxication. « Avant, on regardait la télévision le matin avant de partir en classe, et la nuit, quand nos parents dormaient », se souvient Mathieu, qui avait 10 ans à cette époque, et en a 14 aujourd'hui : « C'était vachement dur le soir en revenant de l'école, de voir ce vide dans l'armoire, à la place du téléviseur. Mais maintenant, ça va mieux, je m'y suis habitué. Et puis ç'est vrai que ça va mieux à l'école, maintenant. J'ai de meilleures notes. » La décision a été prise après de longues et pénibles discussions : « Mes parents avaient décidé de limiter le temps devant la télé : deux heures le mercredi, une demi-heure le soir, etc. ; mais on continuait à grogner tous les jours. Alors, ils l'ont vendue ! »

La moitié = 1/2 (50 %). Les deux tiers = 2/3 (66 %). Aisée = assez riche, pas pauvre. Scolaire = de l'école. Limiter = décider d'un maximum. Vendre ≠ acheter.

À VOUS

PF 1. Faites une enquête dans votre classe (on passe combien de temps devant la télévision ? on la regarde quand ? est-ce que les filles la regardent plus que les garçons ? est-ce que les parents limitent le temps devant la télévision ? etc.) : écrivez au moins douze questions, puis rédigez un petit texte sur les résultats de votre enquête.

ED 2. Écrivez votre réponse pour le forum de la page suivante (70 mots minimum).

3. Discussion à trois : Est-ce qu'on a de meilleures notes à l'école sans télévision ?

Forum

Est-ce que les jeunes regardent trop la télé ?

http://www.colleges.net/forum/television.html.

Alors là, non ! De : Elsa, 12 ans

Salut ! Non, c'est impossible de trop regarder la télé, ou de vivre sans télé dans sa chambre !
Quand je suis devant ma télé, je peux voir les nouveaux clips de mes groupes préférés, je
peux regarder des dessins animés, et je me sens libre. J'ai jamais eu d'overdose de télé !

Répondre à ce message

Pas tous De : Samira et Nadia

Tous les jeunes ne regardent pas la télé. On connaît plusieurs familles qui n'ont pas la télévision et qui vont très bien. Comme ça les enfants ont plus de temps pour leurs études, ils
ne se préoccupent pas de l'heure des séries américaines comme on le fait nous, et ils ne se
disputent pas pour le choix des programmes. Pour les informations, ils lisent le journal. Ils
ne s'ennuient pas. Ils lisent beaucoup. Mais c'est pas tous les jeunes qui aiment lire. Nous
on pense que si on nous enlevait la télé du jour au lendemain, on aurait du mal à s'habi-
tuer !   Répondre à ce message

Ça dépend... De : Paola, 15 ans, Belgique

On regarde trop la télé mais moi je pense que ça dépend de ce qu'on regarde. Je trouve
qu'on peut voir beaucoup de programmes intéressants, des reportages, les infos de 20 h...
On peut apprendre beaucoup de choses sur ce qui se passe dans le monde et rester bien
informé. Le gros problème, ce sont les publicités qui interrompent les programmes toutes
les 10 minutes. Et on se repose bien par exemple quand on regarde des films.

Répondre à ce message

Pourquoi les jeunes ? De : Clément

Il n'y a pas que les jeunes qui regardent trop la télé. Chez moi, la télé est toujours allumée !
C'est ma mère qui ne peut pas s'en passer. Moi ça me gêne un peu, par exemple quand je
veux jouer du piano (qui se trouve dans la même pièce que la télé), elle est toujours allumée cette maudite télé, alors je l'éteins, mais ma mère la rallume... Elle est dépendante de la
télé, mais elle ne la regarde pas vraiment parce qu'elle fait la cuisine ou autre chose en
même temps. Mais la télé doit être allumée même si elle ne la regarde pas !

Répondre à ce message

Ça c'est vrai ! De : Daniel, 14 ans, Nice

Oui, je pense qu'on regarde trop la télé et qu'on écoute trop la radio ! Ça fait du bien le
silence, parfois ! Puis il y a d'autres choses à faire ! L'idéal est de regarder la télévision
quand on a quelque chose de précis à voir. Ça évite de perdre du temps ! Le problème, c'est
qu'on veut juste jeter un coup d'œil, on se dit « allez, juste 2 minutes », et puis on reste
scotché devant pendant une heure ou plus... On ne voit plus le temps passer. Mais quand
on passe 3 heures devant, c'est à cause des publicités qui passent toutes les dix minutes
(avec les pubs, on perd du temps).   Répondre à ce message

La télé, c'est super De : Amélie, 13 ans

Bonjour tout le monde. Moi, je crois que la télé, c'est bien, il y a plein de choses intéressantes, amusantes et divertissantes. Mais il y a des limites : je connais un tas d'élèves dans
ma classe qui passent plus de 4 heures par jour devant leur télé. C'est grave et il est clair
qu'ils la regardent trop ! Moi, je trouve qu'on devrait faire une loi ou faire un truc électronique pour limiter la télé à 1 heure maximum par jour en dehors des heures de classe.
Merci.   Répondre à ce message

Y en a marre ! De : Loïc, 15 ans, Bordeaux.

On peut très bien vivre sans télé (les autres, pas moi) ! Pourquoi limiter à 1 heure le temps
devant la télé ? C'est débile ! Je dois déjà limiter les surfs sur Internet parce que ça coûte
cher. Alors, ça suffit (y a des limites) !   Répondre à ce message

*scotché = collé, toujours devant.
*un tas de = beaucoup de.

1 Il faut savoir se débrouiller

— Est-ce que tu as fait le devoir de maths pour lundi ?

— Pas encore. Hier, je n'ai pas eu le temps. Je vais faire ça ce soir ou demain.

— Tu n'as pas eu le temps ou tu n'as pas pris le temps ? !

— Écoute, c'est parce que j'ai lu un livre d'histoire. Je sais bien que les maths, c'est important, mais j'adore l'histoire : je trouve ça *marrant !

— Mais tu as de meilleures notes en maths qu'en histoire, en général, non ? Moi, je ne me débrouille pas très bien en maths, enfin, ça dépend... Dis, j'ai envie de te demander : on peut faire les problèmes de maths ensemble ?

— Pourquoi pas ? Comme ça, à nous deux, on va avoir tout juste. Et on va avoir la note *maxi. D'accord pour ce soir ?

— D'accord. Tu viens chez moi vers 6 heures ?

vas faire ?

2 **Quels élèves !**

— Mathieu, tu as encore oublié ton livre !
Ça arrive trop souvent, hein ! Comment
tu vas travailler sans ton livre ?
Débrouille-toi pour ne plus oublier tes
affaires ! C'est compris, oui ? Marine, ne
fais pas semblant de travailler ! Et si tu
ne travailles pas maintenant, tu ne vas
pas réussir ton examen à la fin de l'année ! Maintenant, tout le monde : ouvrez
vos livres à la page 76... Laurent, toi,
ferme la fenêtre ! Écoutez tous et silence !
On n'est plus en récréation ! La récréation
est finie, le cours est commencé ! Loïc, tu
es fatigué ? Julie, arrête de bavarder avec
ta voisine ! Et toi, Marie, tu es dans la
lune ou avec nous ? Mais quels élèves !
Qu'est-ce que vous avez aujourd'hui ? !

3 **Projets d'avenir**

— Qu'est-ce que tu as comme
cours, après la récré [1] ?
— J'ai une heure d'étude [2]. Le prof [3]
d'EPS [4] est absent. Je vais en
profiter pour apprendre ma
leçon de SVT [5].
— Pourquoi ? Tu aimes les SVT
ou tu vas avoir un contrôle ?
— C'est parce que c'est utile pour
moi. Tu comprends, je vais être
médecin, plus tard.

— Tu veux être médecin ou tu
vas être médecin ? Tu sais
qu'il y a des examens très
difficiles ?

— Oui, je sais... Mais j'ai décidé d'être médecin, et donc, je vais être
médecin plus tard, voilà, dans dix ou douze ans ! Et toi ?
— Oh moi, je ne sais pas encore, ça dépend des jours, mais, parfois, j'ai
envie d'être prof parce que j'aime les vacances, les récrés comme
maintenant et aussi les profs.
— Tu vas être un drôle de prof, toi !

[1] = récréation [2] = étude surveillée [3] = professeur(e) [4] = éducation physique et sportive
[5] = sciences de la vie et de la Terre

ÉCOUTE !

Je n'ai pas eu le temps.	*J'ai pas eu l'temps.*
Tu as envie de faire le problème ?	*T'as envie d'faire l'problème ?*
Je veux être professeur.	*J'veux êt' prof'.*
Je n'aime pas beaucoup les mathématiques.	*J'aime pas trop les maths.*
Tu aimes la géographie ?	*T'aimes la géo ?*
L'éducation physique et sportive, c'est très bien.	*La gym', c'est trop !*
Quand est-ce que tu as cours de sciences de la vie et de la Terre ?	*T'as S V T quand ?*
Nous sommes en récréation.	*On est en récré.*
Je ne sais pas.	*J'sais pas.*

Je t'explique...

→ Le futur proche (ou futur composé) = aller + infinitif

*Maintenant, j'apprends le français ; bientôt, je **vais parler** comme un Français !*

*Je ne **vais** pas **partir** maintenant. Il ne **va** jamais **réussir**.*

*Je **vais me débrouiller** seul.*

*— Elles sont à Lyon ? — Elles **vont** y **aller** dans deux semaines.*

*Il ne **va** pas **se débrouiller** seul.*

*— Tu veux du café ? — Non, je ne **vais** pas en **prendre**.*

→ Pour dire quand : passé et futur

Passé : *j'ai fait ...*	Futur : *je vais faire ...*
Il y a six ans. **Il y a** un mois.	**Dans** six ans. **Dans** un mois.
Il y a deux heures. **Il y a** un instant.	**Dans** deux heures. **Bientôt / tout à l'heure.**
L'an **dernier** / l'année **dernière**.	L'an **prochain** / l'année **prochaine**.
La semaine **dernière**. Mardi **dernier**.	La semaine **prochaine**. Mardi **prochain**.
Avant-hier.	**Après-demain.**
Hier.	**Demain.**
Cette année. **Cette** semaine.	**Cette** année. **Cette** semaine.

→ Encore ≠ ne... plus, déjà ≠ ne... pas encore

*Il est **déjà** parti. ≠ Il **n'**est **pas encore** parti.*

— C'est déjà la récréation ? – Non, pas encore.

*Il dort **encore** ≠ Il **ne** dort **plus**.*

— Il y a encore des fruits ? – Non, il n'y a plus de fruits / non, il n'y en a plus.

→ *Pour parler de projets*

— *Qu'est-ce que tu veux faire **plus tard** ? Qu'est-ce que tu veux faire comme métier ?*

— *Je veux être médecin / ingénieur…*

— *Quels sont vos **projets** ? / Qu'est-ce que vous **allez faire** ? / Qu'est-ce que vous **avez l'intention de** faire ?*

— *J'ai l'intention de / je vais prendre des vacances / changer de métier / de profession…*

À toi de parler !

❶ Maintenant ou plus tard ?

— Tu téléphones maintenant ?

— Non, je vais téléphoner dans deux heures.

téléphoner → manger ; partir en vacances ; se coucher, travailler, commencer

tu → vous ; nous ; il ; elle ; elles ; ils

dans deux heures → bientôt ; demain ; après le déjeuner ; plus tard…

❷ Il y a un an, j'ai fait un voyage.

— Il y a un an, j'ai fait un grand voyage.

— Ah ? Moi, je vais faire un grand voyage dans un an.

faire un grand voyage, il y a un an → téléphoner à Léa / il y a trois jours ; commencer un gros travail / il y a un mois ; aller en ville / hier ; acheter un pull / avant-hier ; voir un bon film / la semaine dernière ; prendre un cours de danse / l'an dernier…

❸ Tu n'habites plus à Bordeaux ?

— Tu n'habites plus à Bordeaux ?

— Non, mais j'y ai habité il y a deux ans.

— Moi, je vais y habiter bientôt.

habiter à Bordeaux / il y a deux ans → travailler à Paris / l'an dernier ; aller en vacances en Italie / il y a longtemps ; travailler ici / hier ; dormir là-bas / le mois dernier

❹ Tu ne déjeunes pas, aujourd'hui ?

— Tu ne déjeunes pas, aujourd'hui ?

— Mais si, j'ai déjà déjeuné.

— Quand ?

— Il y a une heure. Et toi ?

— Moi ? Je vais déjeuner tout à l'heure.

déjeuner → prendre une douche ; travailler ; sortir ; aller au cinéma ; faire la cuisine…

❺ Encore ? – Non, plus !

— Tu fumes encore ?

— Mais non, au contraire ! Je ne fume plus.

— Ah ? Depuis quand ?

— Euh… depuis 2 heures.

fumer encore → travailler encore ici ; aller encore à l'école ; dormir encore à l'hôtel ; habiter encore chez ses parents ; être encore malade ; il y a encore des fruits…

tu → vous ; elles

depuis 2 heures → depuis 2 mois

❻ Déjà ? – Non, pas encore !

— Tu as déjà fini ?

— Non, je n'ai pas encore fini.

Tu as déjà fini ? → Nous sommes déjà arrivés ? Vous avez déjà trouvé ? Elles sont déjà là ? Ils sont déjà au lit ?…

Autres activités : voir le *Cahier d'exercices* pp. 17-18

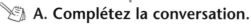

À toi de
jouer !

1 La *drague : parler de la pluie et du beau temps

 A. Complétez la conversation.

— Pardon, …?
— Oui, je suis d'ici. Pourquoi ?
— Parce que je … euh, la rue …
— Quelle rue ?
— … rue, là !
— Ah, je vois : vous cherchez un sujet de conversation !
— Euh… oui.
— Eh bien, on va parler …, alors. Il … beau, n'est-ce pas ?
— Euh, oui, il fait beau.

— Un peu … pour … saison, peut-être, vous ne trouvez pas ?
— Si, si un peu froid, mais il … chaud demain, vous … voir !
— Oui, mais c'est bien normal, nous sommes au mois de mai.
— Euh oui, vous … étudiante ?
— Ah, ah ! Vous … changé de sujet ? Alors, je réponds : oui, j'… dans cette ville, j'… suis née et j'… suis étudiante ; non, je n'habite pas … mes parents, ça va ?

 B. Écoutez maintenant la conversation, puis jouez-la.

2

Un autre sujet de conversation : les vacances

 Reconstituez chaque réplique de la conversation, écoutez-la puis jouez-la.

A. avez | de | est-ce | faire | intention | l' | les | pour | prochaines | Qu' | que | vacances ? | vous

B. aller | en | Je | je | pense. | Provence, | vais

C. aimez | allez | En | la | Mais | Bretagne. | pas ? | Provence ? | Vous | vous | y | n'

D. changer | la | je | Je | Non, | bien. | un peu. | vais | trop | connais

3

Encore les vacances !

 A. Écoutez la conversation.

— Tu n'as pas encore pris tes vacances ?
— Oh, je vais prendre mes vacances dans un mois seulement.
— Avec ou sans tes parents ?

B. Jouez quelques suites possibles.

— … Et toi ?
— Pour moi, l'important c'est de me reposer… Je vais….
— Pour moi, l'important, c'est de visiter beaucoup de pays…
— Pour moi, l'important, c'est de…

4 Texto (ou SMS)

Sur les téléphones portables, on écrit
avec le moins possible de lettres.

 Écrivez ce message en français correct.

> ksk tu fè ce soir ?
> tu viens o ciné ?
> RV 8h o kfé du t-âtre

5 Un courriel

Date : Samedi 12 avril 2004
À :
Objet : Projets d'avenir

▷ Pièces jointes :

Salut !
J'ai un devoir à faire pour le collège, et je crois que tu peux m'aider. Voilà, le sujet c'est : « Pensez-vous que les jeunes ont tous les mêmes projets d'avenir ? »
Moi, je crois que ça dépend des personnes, bien sûr, mais aussi des pays. Je me dis qu'un jeune Italien n'a peut-être pas les mêmes projets qu'un jeune Sud-Américain ou Canadien. Qu'en penses-tu ?
Peux-tu me répondre et me dire quels sont tes projets à toi, et ceux de tes copains et copines ?

@ +
Camille

**Vous répondez
au courriel de
votre amie
québécoise
Camille
Beauchêne.**

6

**Qu'est-ce qu'ils
peuvent dire ?**
Mettez-vous
à leur place !

7

**On va y aller
ensemble ?**
(encore les vacances !)

Deux ami(e)s se téléphonent.
Choisissez votre rôle (A ou B) :
regardez les fiches de jeux de rôles
(A : p. 76, B : p. 75 du Cahier d'activités)
et continuez la conversation ci-dessous.

A (au téléphone) salue...
— Dis, tu vas partir en vacances, cet été ?
— Où est-ce que tu vas aller ?
— En Grèce ? Super ! Moi aussi
j'ai l'intention d'y aller.
On peut y aller ensemble, non ?
— Tu peux partir quand, toi ?

B (au téléphone) salue ...
— Oui, je pense.
— J'ai décidé d'aller en Grèce.
— Pourquoi pas ?
— ...

Activités complémentaires : voir le *Cahier d'exercices* pp. 19-20

Unité 5 ---> ☝️⚫ Bonnes vacances !

1 JULIEN : — Tu vas où en vacances, cette année ?
ÉMILIE : — Je ne sais pas encore.
J. : — Quoi ? Mais c'est bientôt les grandes vacances !
É. : — Oui, je sais, mais mes parents ne sont pas
d'accord. Mon père préfère la mer et ma mère, elle,
préfère la montagne... Alors, qui va décider ?
Grande question !
J. : — Et toi, qu'est-ce que tu préfères ?
É. : — Moi ? *Bof..., ça m'est égal. Mais je préfère le
calme. Et toi, qu'est-ce que tu vas faire ?
J. : — Moi, je reste ici : mon correspondant allemand
va venir chez moi.

2 LA MÈRE : — Je préfère la montagne, tu sais bien ! Et en juillet,
pas en août !
LE PÈRE : — Pourquoi pas en août ?
LA MÈRE : — En août, il fait moins beau ; juillet est le mois le
plus chaud, c'est mieux...
LE PÈRE : — Mais non, voyons ! C'est août qui est le meilleur
mois ; il fait moins chaud qu'en juillet, et pour la mer, c'est mieux !
LA MÈRE : — Mais on n'ira pas à la mer !

LE PÈRE : — Mais si, on ira !
LA MÈRE : — Non, on ira à Argentière. On fera des promenades, on
marchera tous les jours, ça sera merveilleux.
LE PÈRE : — Non, on ira à la mer et on se baignera tous les jours !
LA MÈRE : — Non ! À la montagne, en juillet !
LE PÈRE : — À la mer, en août !
ÉMILIE : — Moi, je ne veux aller ni à la mer en août, ni à la mon-
tagne en juillet !
LES PARENTS : — Hein ? ? !
ÉMILIE : — Je veux aller à la campagne, du 15 juillet au 15 août !

3 Loïc : — Moi, cet été, je vais aller en Corse.

Julien : — Tu as de la chance, dis donc ! Quand ?

L. : — Je pars dans quinze jours et j'y reste un mois.

J. : — Ça te plaît, la Corse ?

L. : — Oh oui ! Pour moi, c'est le plus bel endroit du monde ! Et je serai dans ce village, là, tu vois ? Le plus beau village du monde !

J. : — Et tu y vas comment ?

L. : — Mes parents ont l'intention de prendre le bateau, mais moi, je préfère l'avion, c'est plus rapide.

J. : — Oui, bien sûr. Et tu vas prendre l'avion le plus rapide du monde ?

L. : — Mais pourquoi tu dis ça ?

4 Émilie : — Et toi, qu'est-ce que tu vas faire pendant ces vacances ?

Mathieu : — Moi, rien ! Je vais rester ici.

É. : — Oui, d'accord, mais tu vas bien faire quelque chose !

M. : — Ben oui, dormir, me reposer, quoi ! Ah ! Je vais aussi ranger ma collection de timbres, réparer mon VTT, me promener, lire, écouter mes CD, et j'ai décidé de suivre des cours d'été en informatique. Et puis je bronzerai sur mon balcon : on peut bronzer sans être à la plage, tu sais...

É. : — Oui, mais bronzer, c'est nul ! Et en plus c'est dangereux !

5 Julien : — Allô, Hans ? Ici, c'est Julien. Alors, c'est toujours d'accord : tu viens chez moi pour les vacances, le mois prochain ?

Hans : — Oui, c'est d'accord. J'ai déjà pris mon billet de train. J'ai réservé une couchette : comme ça, j'arrive chez toi le matin.

J. : — Super ! Tu arrives quand, je veux dire quel jour et à quelle heure ?

H. : — Le 12 juillet à 8 heures 35. Tu notes ?

J. : — C'est noté ! C'est formidable : tu arrives juste pour la fête nationale ! On va pouvoir fêter le 14 Juillet ensemble !

H. : — Super ! On va bien s'amuser !

J. : — Ça, c'est sûr ! À bientôt et bon voyage !

Bonnes vacances!

[e]	[ɛ]	[j]
l'été	ma mère	voyager
un billet	mon père	juillet
réparer	faire	une fille
écouter	Mon père préfère la mer.	un appareil photo
L'été dernier, j'ai réparé ma télé.		Travailler en juillet ?
		J'aime mieux voyager !

Je t'explique...

Les démonstratifs

— *Prends **le** vélo.*	— *Tu veux **la** console?*	— *Tu vois **les** livres ?*	— *Tu aimes **les** chaussures ?*
— *Quel vélo ?*	— *Quelle console ?*	— *Quels livres ?*	— *Quelles chaussures ?*
— ***Ce** vélo, là.*	— ***Cette** console, là.*	— ***Ces** livres, là.*	— ***Ces** chaussures, là.*

cette année, ce mois, cette semaine, ces jours derniers

Attention : ce + a, e, i, o, u, h = cet : *cet hôtel, cet avion, cet après-midi*

Les possessifs (rappel)

je →	*mon ami*	*ma moto*	*mes clés*	***nous / on** → notre train*	*notre sœur*	*nos amis*
tu →	*ton ami*	*ta moto*	*tes clés*	***vous** → votre train*	*votre sœur*	*vos amis*
elle/il → son ami		*sa moto*	*ses clés*	***elles / ils** → leur train*	*leur sœur*	*leurs amis*

⚠ **ma, ta, sa + a, e, i, o, u, h → mon, ton, son.**
mon amie, ton histoire, son adresse...

Beau / bel, nouveau / nouvel, vieux / vieil

beau, nouveau + a, e, i, o, u, h → bel, nouvel
→ *un bel endroit, un nouvel élève*

vieux + a, e, i, o, u, h → vieil
→ *un vieil appartement*

C'EST MA VOITURE!

MON ŒIL!

*Mon œil ! = je ne te crois pas

Le futur simple

a) conjugaison (infinitif) + terminaison			**b) verbes irréguliers**	
je	manger	ai	*avoir :* j'aurai	*être :* je serai
tu	parler	as	*faire :* je ferai	*pouvoir :* je pourrai
elle / il / on	dormir	a	*vouloir :* je voudrai	*savoir :* je saurai
nous	écrir(e)	ons	*voir :* je verrai	*venir :* je viendrai
vous	attendr(e)	ez	*courir :* je courrai	*aller :* j'irai
elles / ils	prendr(e)	ont	*appeler :* j'appellerai	*acheter :* j'achèterai

→ *Pour parler des études*

— *Tu es collégien(ne) / lycéen(ne) ?*

— *En quelle classe ?*

— *Tu es étudiant(e) ? En quoi ?*
Qu'est-ce que tu étudies ?
Tu suis des cours de quoi ?

— *Je suis étudiant(e) en...*
Je fais des études de...
Je suis des cours de...

⚠ *être → je suis / vous êtes*
suivre → je suis / vous suivez.

L'école en France

- De 6 ans à 11 ans on est élève à l'école primaire.
- De 11 à 15 ans on est au collège : collégien(ne).
- De 15 à 18 ans on est au lycée : lycéen(ne).
- Dans un lycée professionnel on peut passer un brevet ou un bac professionnel.
- À la fin du lycée on passe le baccalauréat (bac).
- On peut continuer après le baccalauréat dans :
  – un institut universitaire de technologie (IUT).
  – une université.
  – une grande école.

→ *Pour dire son indifférence ou sa neutralité*

— *Ça m'est (complètement) égal.*

— *Ce n'est pas important pour moi.*

— *Ça ne me fait ni chaud, ni froid.*

— *Je m'en moque.*

— **Je m'en fiche.*

— **Bof !*

À toi de parler !

❶ C'est bien à moi !

— Il est à qui, ce livre ?

— Quel livre ? Ah ! Ce livre ? Il est à moi.

— Ah ? C'est ton livre ? Tu es sûr(e) ?

— Mais oui, je suis sûr(e). C'est bien mon livre !

— Ah bon... excuse-moi !

le livre → la voiture ; les chaussures ; les skis ; le vélo ; l'appareil photo ; l'appartement ; la maison ; le journal ; les journaux ; la moto ; l'emploi du temps ; l'armoire ; l'eau minérale ; l'orange…

❷ Vous êtes sûr(e) ?

— Vous voyez cette maison ?

— Cette maison, là ? Oui, pourquoi ? C'est votre maison ?

— Oh non ! Ce n'est pas ma maison, c'est la maison des Durand.

— C'est leur maison ? Vous êtes sûr ?

— Mais oui, c'est leur maison.

la maison → l'appartement ; la voiture ; les skis ; la bicyclette ; la moto ; les livres ; les CD ; l'ordinateur ; l'enfant ; les chaussures ; l'appareil photo…

les Durand → Patrick ; Sonia ; Guillaume et Valérie ; Anne ; les Berthin…

❸ Et demain aussi !

— Hier, j'ai rencontré Élodie.

— Et demain, tu rencontreras encore Élodie !

hier / rencontrer Élodie → il y a trois jours / acheter un livre ; hier soir / aller au cinéma ; le mois dernier / partir en voyage ; l'an dernier / étudier la chimie ; il y a dix jours / aller chez le dentiste ; il y a deux ans / suivre des cours d'informatique…

❹ Jamais !

— Il va partir quand ?

— Oh lui, il ne partira jamais !

il / partir → vous / écrire ; elles / commencer ; nous / pouvoir sortir ; ils / faire leur travail ; elle / être d'accord…

Activités complémentaires : voir le *Cahier d'exercices* pp. 21-22

À toi de
jouer !

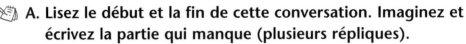

1 Un bel endroit !

 A. Lisez le début et la fin de cette conversation. Imaginez et écrivez la partie qui manque (plusieurs répliques).

— C'est un bel endroit, n'est-ce pas ?
— Comment ? Un bel endroit ? Ici ?
— ...
— ...
— Ah oui, bien sûr, pour un touriste, ce n'est pas formidable !

 B. Écoutez ensuite la conversation et jouez-la.

2

Quelle est la (bonne) question ?

Imaginez et jouez une conversation où l'on entend chacune de ces réponses.

a. — Non, on aura beaucoup de pluie demain soir.

b. — Non, demain, je me lèverai tôt, au contraire.

c. — Non, on n'a jamais vu ça ici !

d. — D'accord, quand il fera chaud.

3

Qu'est-ce qu'ils peuvent dire ?

Mettez-vous à leur place.

4 Projets d'avenir.

 A. Écoutez la conversation.

— Qu'est-ce que tu veux faire, toi, plus tard ?
— Oh, je ne sais pas encore vraiment.
— Tu n'as aucune idée ?

— Euh... pour moi, l'important, c'est de faire un travail intéressant...
— Pour moi, l'important, c'est de vivre heureux...
— Pour moi, l'important, c'est d'avoir beaucoup d'argent...
— Pour moi, l'important, c'est de...

B. Jouez quelques suites possibles.

5 Je suis intéressé(e) par votre annonce.

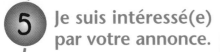 **Vous êtes intéressé(e) par cette annonce et vous écrivez une lettre ou un courriel.**

Vous expliquez pourquoi vous êtes intéressé(e) et demandez des informations.

> ### APPRENEZ LE FRANÇAIS SANS SUIVRE DE COURS !
> Vous avez envie d'apprendre le français ou d'améliorer votre pratique de la langue ? Venez avec nous !
>
> Nous vous proposons un séjour dans un village français. Vous vivrez avec des Français, vous travaillerez (il s'agit de réparer les maisons d'un vieux village que vous aiderez à revivre) et vous pourrez choisir parmi de nombreuses activités de loisir qui vous seront proposées.
>
> *Venez vivre, travailler et vous amuser dans un cadre pittoresque !*
>
> 2 séjours en juillet et août.
> Renseignements et inscription :
> vieux-villages@iu.fr – VIEUX VILLAGES DE FRANCE,
> 2, rue des Remparts, 11000 CARCASSONNE

6

Un cours : « On pourra y aller ensemble ! »
Deux ami(e)s se téléphonent. Choisissez votre rôle (A ou B) : regardez les fiches de jeux de rôles (A : p. 76, B : p. 75 du Cahier d'activités) et continuez la conversation ci-dessous.

A (au téléphone) salue...

— Dis, j'ai envie de suivre un cours de musique / danse / gymnastique / informatique... Ça t'intéresse, toi ?

— Super ! On pourra y aller ensemble, non ?

— C'est deux fois par semaine, et il y en a plusieurs : ...

B (au téléphone) salue...

— Oui, moi aussi j'en ai envie depuis longtemps.

— Bonne idée ! Mais c'est quand, ce cours ?

7

Un courriel
 Vous partez en vacances en France, en Suisse, en Belgique ou au Québec ; vous écrivez à votre ami(e) français(e), belge, suisse ou québécois(e) pour lui dire ce que vous voulez faire dans son pays...
(vous reposer, lire, dormir, visiter, faire du sport, vous amuser...)

Autres activités : voir le *Cahier d'exercices* pp. 23-26

La valise grise *(épilogue)*

Et qu'est-ce que vous savez encore sur eux ?

POLICE GENÈVE

Lui, Monsieur le Commissaire, c'est Antoine, ou Georges Raffin, ou, si vous voulez encore, le Suédois...

Elle, c'est Martine. Elle dit qu'elle est professeur de français.

Martine et Antoine se connaissaient bien. Mais quand ils se rencontraient, ils faisaient semblant de ne pas se connaître. Un soir (1), le barbu a pu écouter leur conversation.

J'ai la valise ! Rendez-vous dans deux jours à midi au bar "Chez Paulo", à Beauvallon...

Beauvallon ? Où est-ce ?

C'est un petit village, près de Chalon...

(1) 1er épisode - DÉCLIC 1 - Unité 5, page 23

À Beauvallon, Antoine a donné une valise grise à Martine, mais le barbu a pu la suivre (2).

Je vous en prie !

(2) 2e épisode - DÉCLIC 1 - Unité 9, page 58

Le barbu, en faux médecin, est allé chez Antoine... (3)

(3) 3e épisode - DÉCLIC 1 Unité 14, page 99.

Le barbu a pris une valise à Antoine. Il l'a donnée à quelqu'un, euh... un "correspondant", à l'aéroport de Roissy. Mais il a été tué juste après! (4)

Tenez! Prenez ça et prévenez le patron immédiatement!!

ADP

D'accord, à bientôt et bonne chance!

POP

(4) 4e épisode - DÉCLIC 2, Unité 1, page 7

À l'aéroport, Antoine a téléphoné à son patron et le "correspondant" du barbu a pu écouter leur conversation (5).

Allô, patron? Oui Le barbu est mort; mais je suis arrivé trop tard pour la valise. Je ne l'ai pas retrouvée... Ah! Mais c'est très grave, ça! Vous parlez suédois? Euh... Oui, mais... Bon alors, vous ne vous appelez plus Georges Raffin, ni Antoine! Vous êtes suédois et vous venez à Genève! Bien, patron. Quand? Demain. Je vous attends! À demain! CLIC!

Antoine est donc venu à Genève pour rencontrer son patron (6).

Excusez-moi, mais je ne comprends toujours pas...

POLICE GENÈVE

(6) 5e épisode - DÉCLIC 2 - Unité 3, page 19

(5) 4e épisode - DÉCLIC 2 - Unité 1, page 7

Attendez! Le patron d'Antoine est architecte. Il travaille pour la ville de Genève à la bibliothèque et dans les musées. Il vole des objets d'art et de très vieux livres et il les envoie à Paris. C'est Antoine et Martine qui les vendent à des collectionneurs... Le docteur Langlois, de Paris, par exemple...

...Et dites-moi... Et le "barbu"?

!

Le barbu était un détective. Il travaillait pour la ville de Genève qui voulait comprendre comment et pourquoi des objets précieux disparaissaient. Il a pu reprendre une valise de vieux livres... Mais l'architecte a envoyé un tueur!

Et vous? Comment savez-vous tout ça?

Moi, je suis Michel Martin... Je suis photographe et aussi le frère du "barbu". Vous allez les arrêter tous, n'est-ce pas?

Bien sûr, Monsieur Martin!

FIN

Le collège en France

Reportage :
au collège Jacques Prévert

Madame la principale [1] du collège Jacques Prévert nous présente son établissement : « C'est un petit collège de 600 élèves (les grands établissements ont le double d'élèves) qui compte 24 classes [2] d'environ 25 élèves. »

Le rythme de travail et les vacances

« Comme pour tous les collèges de France, le calendrier est fixé par le ministère de l'Éducation nationale. Il y a trois zones en France, avec des dates de certaines "petites vacances" un peu différentes, pour que les Français ne soient pas tous en vacances (et sur les routes) en même temps. Voici le calendrier de cette année pour notre zone (A). »

RENTRÉE ÉLÈVES	2 septembre
TOUSSAINT	du 23 octobre au 4 novembre
NOËL	du 18 décembre au 3 janvier
HIVER	du 12 février au 28 février
PRINTEMPS	du 16 avril au 2 mai
VACANCES D'ÉTÉ	2 juillet

L'année scolaire et la semaine de travail

« L'année scolaire est de 36 semaines de travail, nous explique Coralie, une élève de 4e. L'année est divisée en 3 trimestres, de septembre à Noël pour le premier, de janvier aux vacances de printemps pour le deuxième, et de mai à juillet pour le troisième. À la fin de chaque trimestre les parents reçoivent les notes de leurs enfants. » Madame la principale ajoute que les trimestres ne sont pas égaux, et que le 1er est très fatigant pour les élèves. « Mais on ne peut pas changer la date de Noël ! »
« Sur une semaine, on a 30 heures de cours, dit Coralie. On est libres le mercredi et on a cours le samedi matin. Les heures de cours durent 55 minutes. »

Les notes

Coralie explique que les notes (de 0 à 20, 20 est la meilleure note) sont obtenues en faisant des interrogations sur les leçons. « Le plus souvent ce sont des interrogations-surprises que les élèves n'aiment pas, et des contrôles (un travail en classe, une sorte de devoir en temps limité). »

Le carnet de correspondance

« Tous les élèves ont un carnet de correspondance, pour les informations entre le collège et les parents, continue Coralie. Il y a l'emploi du temps, le nom des professeurs, et on note dessus mes absences, mes retards, ou si je vais à l'infirmerie. On écrit aussi si on est externe ou demi-pensionnaire [3]. Moi, à midi, je mange au *self*. »

À vous

PF Écrivez à votre tour une page pour présenter à un Français le collège dans votre pays.
Est-ce que vous préférez le collège de votre pays ou le collège français ? Discutez et dites pourquoi.

1 Dans un collège français, le directeur s'appelle le « principal ».
2 Il y a quatre niveaux de classe dans les collèges français, de la 6e (les plus jeunes) à la 3e en passant par la 5e et la 4e.
3 L'externe ne mange pas au collège à midi, le demi-pensionnaire si. IDD : itinéraire de découverte.

Préparation au DELF

ORAL COLLECTIF

À l'hôtel

Écoutez et complétez.
Écrivez les dates et nombres en chiffres.

Question 5 : notez par exemple au centre-ville, loin de la gare, près de l'aéroport, etc.

	Dialogue 1	Dialogue 2	Dialogue 3
Nom du client			
Date d'arrivée			
Date de départ			
Prix			
L'hôtel se trouve où ?			

ORAL INDIVIDUEL

1 **Dialogue simulé**

Jouez une scène « À l'hôtel » avec votre voisin(e). L'un est à la réception d'un hôtel français, et l'autre (le client) veut réserver une chambre. Le client demande beaucoup de précisions.

2 **Choisir et expliquer**

Vous allez parler 4-5 minutes sur le sujet : « Que préférez-vous ? La télévision ou le cinéma ? Pourquoi ? »

Avant, pour vous préparer, cherchez et écrivez 20-30 mots qui peuvent être utiles pour votre réponse, et classez-les sur 2 colonnes (télévision / cinéma).

ÉCRIT

Vos parents vous proposent de vous envoyer en France pour suivre un cours de français. Vous pensez à un(e) ami(e) français(e) rencontré(e) sur Internet, et vous trouvez des cours dans la ville où il / elle habite. Vous lui écrivez un courriel. Il / elle trouve que c'est une bonne idée, et vous conseille d'envoyer une lettre à ses parents, pour leur demander si vous pouvez habiter chez eux.

Écrivez d'abord le courriel à cet(te) ami(e), puis la lettre à ses parents.

Ce que vous savez :
– La copine s'appelle Catherine Béal (si c'est un copain : Julien Béal) et habite à Brest (en Bretagne). En juillet : est en vacances.
– Le cours : du 01/07 au 31/07, à Brest, à l'Institut Breton des Langues. 4 h de cours par jour (toute la matinée), 5 jours par semaine.

Vous pouvez imaginer ce que vous ne savez pas.

Évaluation

Compréhension et expression *(30 points)*

✍ **Quelles questions correspondent à ces réponses ?**

— .... ? — Oui. C'est de la part de qui ?

— .... ? — Non merci. Je voudrais juste regarder.

— .... ? — Seulement 22 euros.

— .... ? — Elle est arrivée il y a 3 mois.

— .... ? — Elle veut être ingénieur.

— .... ? — Ils font des études de chimie.

— .... ? — Ne quittez pas. Je vais voir s'il est là.

— .... ? — Pas encore.

— .... ? — Ça ne me fait ni chaud ni froid !

— .... ? — En chaussures, je fais du 39.

Connaissance de la langue *(10 points)*

✍ **Complétez.**

— .... 10 ans, elle n'habite .... à Grenoble : elle habite à Paris.

— Parlez .... lentement, s'il vous plaît, je vous entends ....

— Qu'est-ce que tu .... fait hier soir ? Tu .... allé au cinéma
ou tu .... regardé la télé ?

— Je .... en vacances le mois prochain.

— Elle a de .... notes que moi à l'école, mais je danse beaucoup
.... qu'elle !

Expression écrite *(20 points)*

✍ **Écrivez un texte (minimum : 10 phrases, 12 verbes)
pour présenter votre école et votre classe.**

....

....

....

....

....

....

....

....

Séquence

2

objectifs

- → **6** Raconter un événement au passé, oralement et/ou par écrit (article de journal). Témoigner / expliquer comment ça s'est passé et pour quelle(s) raison(s) : incidents et accidents. Situer dans l'espace et dans le temps.

- → **7** Donner des informations sur sa famille et son mode de vie. Donner des informations sur un pays ou une région. Se réjouir / se plaindre.

- → **8** Raconter un événement au passé par écrit (courrier électronique). Parler d'activités de loisirs et de sports, indiquer ses goûts, ses préférences dans ce domaine.

- → **9** Échanges par courrier électronique. Proposer, accepter, refuser et protester.

- → **10** Situer et décrire un appartement. Donner son opinion ou son avis, manifester ses goûts et préférences.

6 ---→ ✋ Faits divers

L'article dans le journal local

Grave accident de la circulation devant la poste

Un grave accident a eu lieu cet après-midi, vers 13 heures, devant la poste. Une moto a renversé M. Laval qui est employé aux « Nouvelles Galeries » et qui habite 13, rue des Minimes. Une ambulance du SAMU a rapidement transporté le blessé à l'hôpital. La police recherche le conducteur d'une grosse moto rouge immatriculée 427 WHH 13.

Le témoignage

LE JOURNALISTE : — Madame, s'il vous plaît, vous avez vu l'accident ?

LE TÉMOIN : — Oui, je l'ai vu, comme je vous vois !

J. : — Vous voulez bien nous dire comment ça s'est passé ?

T. : — Eh bien, un monsieur est descendu du bus, là. À ce moment-là, une moto est arrivée à toute vitesse et elle l'a renversé !

J. : — Vous le connaissez ?

T. : — Qui, le monsieur ? Non, je ne le connais pas.

J. : — Et alors ?

T. : — Alors ? Ben... on a appelé la police qui a appelé le SAMU[1]. Ils l'ont vite emmené à l'hôpital. Voilà.

J. : — Et la moto ?

T. : — Elle a disparu dans cette direction...

J. : — Vous avez vu son numéro ?

T. : — Non, je ne l'ai pas vu, parce que moi, vous savez, les numéros, je ne les regarde jamais.

[1] Service d'Aide Médicale d'Urgence

Un autre fait divers dans le journal local

Encore un accident rue de la Grimpée

Une rue vraiment dangereuse en hiver !

Hier soir, après son travail, un habitant de notre ville, M. Greffot, est passé par cette rue. « D'habitude, je prends le bus », nous a-t-il expliqué, « mais hier je suis rentré chez moi à pied pour regarder les magasins avant Noël. » À cause de la neige gelée, M. Greffot est tombé par terre devant le n° 10 de la rue et il a glissé jusqu'au carrefour de la rue Pons ! Une voiture est arrivée et n'a pas pu s'arrêter, ni tourner. « La voiture est passée... mais à vingt centimètres de moi, heureusement », nous a dit M. Greffot ; « je n'ai pas eu mal, mais j'ai eu peur ! Si je n'ai rien eu, c'est grâce à lui » et il nous a montré son chat dans son sac à dos ! Et il a ajouté : « C'est mon porte-bonheur, je ne sors jamais sans lui. »

Vendredi 13 (une histoire *dingue)

LA VICTIME [2] : — D'abord, j'ai fait la queue pour le bus. Quand il est arrivé, je suis monté, j'ai cherché mon argent pour payer, mais je ne l'ai pas trouvé ! Alors, je suis vite descendu du bus. À ce moment-là, une moto est arrivée et m'a renversé. Je suis tombé par terre. Quand l'ambulance est arrivée, elle s'est arrêtée, une roue juste sur ma main droite ! À l'hôpital, la porte automatique s'est fermée... sur mon pied gauche ! Et enfin, j'ai bu le médicament du malade d'à côté !

Tout ça, c'est à cause de mon chat ! Un chat noir ! Ce matin, j'ai dû mettre un autre pantalon parce qu'il a renversé du lait sur moi, et j'ai oublié mon argent dans la poche de l'autre ! Ce chat, je vais le vendre... ou le donner ! Vous ne le voulez pas ?

L'INFIRMIÈRE : — Non, merci bien ! Vous pouvez le garder !

---

[2] Victime est toujours féminin, même quand la victime est un homme et témoin est toujours masculin, même quand c'est une femme.

Écoute !

→ Liaisons et enchaînements

> Vous avez vu l'accident, cet après-midi vers une heure et demie ?
>
> On a appelé une ambulance. Elle est arrivée et ils ont emmené la victime à l'hôpital à deux heures. Les policiers ? Je les ai vus à deux heures et quart.

Je t'explique...

→ Le, la, les (les pronoms compléments pour ne pas répéter)

— Regarde le bus.	— Tu **le** vois ?	— Je **le** vois. / Je ne **le** vois pas.
— Regarde ma voiture.	— Tu **la** vois ?	— Je **la** vois. / Je ne **la** vois pas.
— Prends ces CD.	— Tu **les** prends ?	— Je **les** prends. / Je ne **les** prends pas.
— Prends tes BD.	— Tu **les** prends ?	— Je **les** prends. / Je ne **les** prends pas.
— Tu as vu le film ?	— Oui, je **l'**ai vu.	— Moi, je ne **l'**ai pas vu.
— Tu as écouté la radio ?	— Oui, je **l'**ai écoutée.	— Moi, je ne **l'**ai pas écoutée.
— Vous allez voir ce film ?	— Oui, je vais **le** voir.	— Moi, je ne vais pas **le** voir.
— Je vais écouter ces CD.	— Vous allez **les** écouter ?	— Moi, je ne vais pas **les** écouter.

→ Pour situer dans le passé : c'est arrivé quand ?

il y a (très) longtemps	il y a cent ans	il y a plus d'un an
l'année dernière / l'an dernier	l'été dernier	le mois dernier
la semaine dernière	lundi dernier	il y a trois jours
avant-hier	hier	hier soir
la nuit dernière	ce matin	il y a une demi-heure
il n'y a pas longtemps	il y a juste quelques minutes	il y a un instant

→ Passé composé avec être

Tomber, monter, descendre utilisent l'auxiliaire être : *Je suis monté sur la chaise, mais quand je suis descendu, je suis tombé.*

→ Pour raconter

D'abord, ...	Ensuite, / Après, / Et puis, / Alors...	Enfin, / En dernier, ...
Premièrement, ...	Deuxièmement, /troisièmement, ...	

→ *Pour expliquer pourquoi*

*Ça n'a pas été trop grave pour lui, **parce que** l'ambulance est arrivée tout de suite.*

*Je n'aime pas cette rue **parce qu'**elle est dangereuse en hiver.*

*C'est une région agréable toute l'année **grâce à** son climat.*
*J'ai réussi **grâce à** vous.*

*C'est une ville désagréable **à cause des** problèmes de circulation.*
*Il n'a pas pu venir **à cause du** retard du train.*

À toi de parler !

1 Dans un magasin

— Vous aimez ces fleurs ?

— Ces fleurs ? Non, je les déteste !

— Et ces fruits, vous aimez ces fruits ?

— Oh oui, je les adore.

— Et le magasin ?

— Non, je ne l'aime pas beaucoup.

ces fleurs / ces fruits / le magasin → ce fromage / ce jus d'orange / ce chocolat ; cette télévision / ce baladeur /ces appareils photo ; ce pull / cette veste / ces chaussures ; cette cravate / cette montre / ces lunettes...

vous → tu

2 Tu es *dingue !

— Ta moto, tu la vends ?

— Tu es fou (folle) ! Je vais la réparer !

— Tu ne veux vraiment pas la vendre ?

— Ah non, alors ! Je l'aime trop, moi, cette vieille moto !

moto → vélo, guitare, livres, CD, appareil photo, montre...

vendre / réparer → donner / garder

3 Je déteste ça ! (à jouer à 3)

— Vous avez visité la ville ?

— Oui, je l'ai visitée. Et vous ?

— Moi, non, je ne l'ai pas visitée, mais je vais la visiter bientôt.

— Moi, je ne vais pas la visiter, ça c'est sûr : je déteste faire ça !

visiter la ville → acheter le journal, regarder les informations à la télévision, écouter ce disque, faire la cuisine, écouter cette chanteuse, prendre l'avion, faire l'exercice de français...

vous → tu

4 Quand ? (plus tôt)

— Tu as vu Lucien quand ?

— Lucien ? Euh... attends, je l'ai vu hier.

— Ah bon ? Pas avant-hier ?

— Non, non, je l'ai vu hier, c'est bien ça.

voir Lucien → regarder la télé, faire ton travail, lire l'article de journal, réparer mon ordinateur, fermer la maison, acheter cet appareil, prendre tes vacances...

hier / avant-hier → il y a un mois / il y a deux mois, hier soir...

5 Quand ? (plus tard)

— Tu vas voir Lucien quand ?

— Lucien ? Euh... attends, je vais le voir demain.

— Ah bon ? Pas après-demain ?

— Non, non, je vais le voir demain, c'est bien ça.

voir Lucien → regarder la télé, faire ton travail, lire l'article de journal, réparer ton ordinateur, fermer la maison, acheter cet appareil, prendre des vacances...

demain / après-demain → dans un mois / dans deux mois, demain soir...

6 Pourquoi ?

— Tu ne sors pas parce que tu as un devoir ?

— Oui, je ne sors pas à cause de mon devoir.

tu ne sors pas / tu as un devoir → vous êtes en retard / il y a eu un accident ; tu rentres / il pleut ; elle a trouvé du travail / elle a lu le journal ; tu es content / tu as eu un cadeau ; il a appris le français / il a une amie française ; elle a de la chance / elle a un porte-bonheur...

à cause de → grâce à

Activités complémentaires : voir le *Cahier d'exercices* pp. 27-28

À toi de
jouer !

1 On n'est jamais tranquille !

 **Reconstituez puis jouez et écoutez cette conversation.**

— D'accord ! D'accord !

— Et pourquoi vous ne le lisez pas ?

— Mais c'est à cause de vous : vous parlez tout le temps

— Mmm…

— Mmm…

— Oh ! Désolé ! Et les informations sont intéressantes

— Oui... enfin, je voudrais bien le lire.

— Qu'est-ce que vous faites ?

— Très intéressantes, justement ! Et je voudrais vraiment les lire, vous comprenez ?

— Vous ne répondez pas à mes questions parce que vous lisez le journal, n'est-ce pas ?

— Bonjour ! Ça va ?

2

Une interview difficile : « Vous le faites quand ? »

Écoutez cette conversation, puis continuez-la à deux : posez des questions (acheter le journal, prendre le bus / métro, manger au restaurant...).

3

Je suis content d'être vendredi soir !

Regardez l'agenda de cet étudiant belge, écoutez le début de la conversation et continuez-la.

Lundi 5	Mardi 6	Mercredi 7	Jeudi 8	Vendredi 9
travail à la maison	visite de l'entreprise de G.	voyage en France		cours d'économie
restaurant tennis	opéra	T.G.V. pour Lyon soirée et nuit à Lyon	retour de France cinéma avec Nadia	cours d'informatique

4

Les informations qui manquent.

Si vous comparez l'article de journal (page 44) et le témoignage de la même page, vous voyez que le journaliste n'a pas eu toutes ses informations grâce à cette dame.

Imaginez et jouez un autre témoignage (le journaliste trouve les informations qui lui manquent, il peut interroger un autre témoin ou un policier).

5

Attention où vous mettez les pieds quand vous traversez la rue !

A) Interview à deux : le journaliste interroge un témoin qui raconte l'accident.

B) Écrivez à deux l'article pour la page « Faits divers » d'un journal local.

Dans les deux cas, utilisez les verbes : avoir lieu / traverser / glisser (sur une peau de banane) / tomber / arriver / entrer dans une vitrine / blesser...

6

Allez, raconte !

Vous recevez ce message sur Internet. Vous répondez (seul ou à plusieurs). Imaginez la réponse

> **De** :
> **Date** : samedi 15 juillet 2005 18:05
> **À** :
> **Objet** : Allez, raconte !
>
> **Pièces jointes :**
>
> Salut !
>
> Alors, comment s'est passé ton voyage ? Qu'est-ce que tu as fait d'abord ? Et après ? Qu'est-ce que tu as préféré ? Est-ce que tu as déjà rencontré tes amis ? Est-ce que tu as visité la ville ? La région ? Qu'est-ce que tu as acheté ? Un petit cadeau pour moi ? ! Raconte-moi tout ça, s'il te plaît. J'ai très envie de tout savoir !
>
> Bizz !
>
> Coralie

7

Journaliste.

Vous êtes journaliste et vous écrivez un article correspondant au témoignage « Vendredi 13 » (p. 45). Titre de l'article : « Jour de malchance ».

8

Texto.

Dans un texto (ou SMS) sur un téléphone portable on écrit le moins possible de lettres.

comment ça C paC ? kesk tu as fé ?

Écrivez ce message en français correct.

Autres activités : voir le *Cahier d'exercices* pp. 29-32

☝ Projet de départ

1 **Émilie Delprat au téléphone.**
— Tu viens chez moi cet après-midi ? Super ! Tu vas connaître ma famille !
— ...
— Mes parents ? Ouais, je les trouve assez chouettes. J'ai un frère, il a un an de moins que moi, quatorze ans c'est-à-dire, et il s'appelle Alex. Il est bien gentil, mais il n'est jamais content... Il *râle tout le temps !
— ...
— Avant ? Eh ben, on habitait à Paris. Quand on a déménagé, de Paris à Toulouse, Alex n'était évidemment pas content, comme d'habitude. C'est vrai qu'il avait beaucoup de copains à Paris, tu comprends...

2 **Mme Delprat, Émilie et Alex.**

MME D. : — Les enfants, j'ai quelque chose à vous dire. Voilà, nous allons quitter Toulouse.

É. : — Mais, maman, ce n'est pas encore les vacances !

MME D. : — Je n'ai pas parlé de vacances. Votre père et moi, nous avons décidé de déménager pour aller habiter à Annecy.

A. : — Encore déménager ! *Y'en a marre ! Quand on est bien quelque part, *paf ! on part ailleurs !

É. : — À Annecy ? Mais pourquoi ?

MME D. : — C'est un peu compliqué à expliquer. Nous ne pouvons pas tout vous dire maintenant, mais nous devons aller à Annecy, voilà !

A. : — Ça ne m'intéresse pas ! Moi, je ne veux pas m'en aller d'ici !

É. : — Ah bon ? Pourquoi ? Tu as peur des voyages ?

MME D. : — Ça suffit, Émilie, arrête d'agacer ton frère. Laisse-le tranquille...

É. : — Bon..., bon... Mais moi, je suis bien contente de partir. C'est génial de changer de ville !

A. : — Ouais, ça veut dire qu'il faut encore changer de copains ! Non, non et non ! J'ai de bons copains ici maintenant, je n'ai pas envie de les quitter ! Je veux rester ici !

MME D. : — Tu sais, Alex, nous aussi, nous sommes tristes de devoir quitter nos amis et Toulouse... Malheureusement... Mais c'est très important pour nous et notre avenir.

3 A. : — D'abord, où c'est, Annecy ? C'est loin ? La carte de France, où tu l'as mise ?

É. : — Ne fais pas semblant de chercher. Regarde plutôt sur Internet ! Voyons, www. annecy.fr... Annecy, c'est dans les Alpes, au bord d'un lac. Les paysages sont beaux, mais il y fait horriblement froid en hiver. Les gens doivent rester chez eux : ils ne peuvent pas sortir à cause de la neige. Ils ne peuvent pas aller voir leurs amis et il n'y a même pas la télé !

MME D. : — Mais qu'est-ce que tu racontes, Émilie ? Ne l'écoute pas, Alex !

É. : — Mais non, je plaisante. C'était comme ça avant. Alors, Alex, tu l'as trouvée, la ville d'Annecy, sur ta carte?

A. : — Oui, aucun problème, mais je cherche une autre ville.

É. : — Une autre ville ? Tu veux aller habiter ailleurs?

A. : — Oui, et je cherche une ville interdite aux filles comme toi !

Projet de départ

Écoute !

→ *Extrait de chanson :* Jacobi marchait
(Charlélie Couture)

> *Jacobi avait dit c'est fini, j'en ai marre,*
> *mercredi je pars*
> *Dans le ciel indécis flottaient de gros nuages gris*
> *pourtant Jacobi est parti*
> *Marcher de midi à minuit*
> *Marcher à tout jamais*
> *Marcher*
> *Jacobi marchait* (à suivre)
>
> Auteur-compositeur : Charlélie Couture
> Éditeur-producteur : Flying Boat

Je t'explique...

→ *Le, la, l', les pour les personnes*

— *Appelle **Kévin** ! / – Appelle **Marie** !*

— *D'accord, je **l'**appelle.* ← **l'** = Kévin ou Marie (= **le** ou **la**).

— *Appelle **Marie** et **Kévin** !*

— *D'accord, je **les** appelle.* ← **les** = Marie et Kévin.

→ *Les saisons en Europe*

Du 21 décembre au 20 mars, c'est **l'hiver** (en général, il fait froid et il peut neiger...).

Du 21 mars au 20 juin, c'est **le printemps** (il fait bien moins froid et il peut faire beau mais il pleut assez souvent).

Du 21 juin au 20 septembre, c'est **l'été** (il y a du soleil et il peut faire très chaud).

Du 21 septembre au 20 décembre, c'est **l'automne** (il pleut souvent et il y a du vent).

→ *L'imparfait*

	Vous trouvez **l'imparfait** si vous connaissez **le présent** avec « nous ».		
terminaisons	**infinitif**	**présent** (nous) →	**imparfait**
je ...**ais**	acheter	nous achetons	j'achet**ais**
tu ...**ais**	vouloir	nous voulons	il voul**ait**
elle / il / on ...**ait**	venir	nous venons	on ven**ait**
nous ...**ions**	aller	nous allons	elles all**aient**
vous ...**iez**	faire	nous faisons	vous fais**iez**
elles / ils ...**aient**	Exception : être → j'étais, nous étions...		

Quand j'étais jeune, j'avais envie de tout, j'adorais l'opéra et je voyageais tout le temps.

Avant 2002, il n'y avait pas d'euros et on payait en francs.

C'est incroyable : l'année dernière, nous ne parlions presque pas français !

⌐⌐→ *Pour se plaindre / se réjouir*

Se plaindre :	Se réjouir :
C'est quand même triste !	*C'est formidable / fantastique !*
C'est vraiment horrible !	*Je suis content(e) / ravi(e) !*
C'est pas *marrant !	*Ça fait plaisir !*
Ça suffit ! J'en ai assez !	**Chouette, alors !*
*J'en ai marre ! *Y'en a marre !	**Super ! / *Génial !*

À toi de parler !

1 Je le connais très bien !

— Tu le connais bien ?

— Qui ?

— Ben, Damien !

— Oh ! Lui, bien sûr, je le connais. Je le connais depuis... au moins cinq ans !

connaître Damien → aimer bien cette actrice, écouter le professeur, adorer ce chanteur, chercher son frère, aimer ces acteurs...

depuis 5 ans → depuis 5 minutes...

2 Ah bon ? Vous fumiez ?

— Moi, je fume beaucoup.

— Moi aussi, je fumais beaucoup avant, mais maintenant, je ne fume plus.

— Ah bon ? Vous fumiez beaucoup, avant ?

— Oui, beaucoup.

fumer beaucoup → voyager beaucoup, sortir souvent, lire souvent le journal, regarder souvent la télévision, boire beaucoup, prendre souvent le bus, courir tous les jours...

ALORS, C'ÉTAIT BIEN ? JE SUIS CONTENT DE TE REVOIR !

NON, C'ÉTAIT PAS MARRANT !

3 Et avant ?

— Maintenant, j'habite à Paris.

— Et avant, tu habitais où ?

— J'habitais à Toulouse.

j'habite à Paris / à Toulouse → je mange chez moi / au restaurant ; il collectionne les cartes postales / les timbres ; nous avons une voiture / une moto ; elle est malade / en pleine forme ; le temps est chaud / froid ; elles vont au lycée / collège

4 Plus du tout !

— Tu aimes cet acteur ?

— Avant je l'aimais, mais maintenant je ne l'aime plus du tout.

aimer cet acteur → lire des BD, avoir des CD, aller à l'université, prendre le bus, faire la sieste, boire du café...

5 Enquête de police

— Où étiez-vous, hier à six heures ?

— Hier ? Euh... J'étais chez moi.

— Et qu'est-ce que vous faisiez ?

— Je regardais la télévision.

— Et vous étiez seul(e) ?

— Non, j'étais avec ma femme / mon mari.

— Et elle / il regardait aussi la télévision ?

— Oui, nous la regardions ensemble.

chez moi → au café, en ville, au salon, au bureau...

regarder la télévision → boire le café, se promener, écouter la radio, travailler...

avec ma femme / mon mari → avec des amis, avec mon ami(e), avec mes enfants, avec mon patron...

Activités complémentaires : voir le *Cahier d'exercices* pp. 33-34

Unité 7

Projet de départ

À toi de jouer !

1 Allô ?

Relisez la conversation d'Émilie Delprat au téléphone (p. 50) et trouvez les questions que son amie a pu lui poser (jouez la conversation à deux).

2 Ils se plaignent ou ils se réjouissent ?

Écoutez et notez.

Ils se plaignent : n° …

Ils se réjouissent : n° …

OH, Y'EN A MARRE ! ENCORE UN EXERCICE D'ÉCOUTE !

3 La maison blanche.

Écoutez la conversation, remettez-la dans l'ordre et jouez-la.

— Oui, justement ! Même les vieux étaient blancs… enfin, ils avaient les cheveux blancs. Et puis un jour, j'ai vu la maison fermée, et maintenant, il n'y a plus de maison du tout.
— J'ai oublié, oui… une maison blanche, tu dis ?
— Tu te souviens, quand on était petits, ici, il y avait une petite maison.
— Oui, c'étaient deux petits vieux qui y habitaient, ils avaient un chien blanc.
— Oui, mais il y a un magasin. Tiens ! Regarde : « La petite maison blanche » ! C'est marrant, non ?
— Mais si, c'était une petite maison blanche, tu as oublié ?
— Une petite maison ? Non, je ne me souviens pas.
— Tout était blanc, alors ?

4 Qu'est-ce qu'ils peuvent dire ?

Faites-les parler.

5 Projet de voyage.

HAUTE-SAVOIE

Annecy • Aravis • Arve

DÉCOUVREZ UNE RÉGION AUTHENTIQUE

Du vieux centre historique d'Annecy au silence des vertes montagnes des Alpes, découvrez la nature d'une région où les hommes et la terre sont en harmonie.

Quelques adresses Internet :
www.hautesavoie-tourisme.com – www.thononlesbains.com – www.paysalp.asso.fr –
www.eviantourism.com – www.lac-annecy.com

A prépare un voyage dans la région d'Annecy. Il téléphone à l'Office de tourisme d'Annecy et pose des questions. B travaille à l'Office du tourisme (quand il ne connaît pas la réponse à une question, il imagine).

6

Après le voyage.

Après son voyage dans la région d'Annecy, A rencontre son correspondant (belge). Il lui raconte son voyage.

Autres activités : voir le *Cahier d'exercices* pp. 35-36

Les jeunes Français et la mode

REPORTAGE

La mode

au collège Voltaire

La directrice du collège Voltaire, à Nantes, nous raconte qu'elle a interdit aux élèves de s'habiller en vêtements de sport en dehors des cours d'éducation physique. « Chez les garçons, un sur deux ne mettait que des survêtements. Maintenant, les garçons ne viennent plus en jogging : ils portent des jeans. Mais regardez, ils ont tous des chaussures de sport aux pieds. » Et pour les filles ? « Au collège, il est interdit de montrer son ventre ou de porter des mini-jupes, évidemment ! »

Et les collégiens, qu'est-ce qu'ils pensent des vêtements ? Les 12-15 ans du collège Voltaire parlent beaucoup des vêtements de marque qu'ils portent. « Quand les garçons achètent des vêtements, ils regardent d'abord la marque, ils friment », explique une jeune blonde, Nathalie. « Nous, les filles, on s'intéresse plus aux couleurs, à la mode, si c'est trop court ou trop long, le style, tout ça… On aime bien ça. »

« Moi, je ne mets pas de marque et ça ne me pose pas de problème », assure une petite brune en « style normal ». Mais ce n'est pas la même chose pour tous. Erwan, 14 ans, élève de 5e, raconte son expérience : « Quand tu n'as pas de marque, tout le monde se moque de toi. En 6e, les autres étaient vraiment pas sympas, on me disait que j'avais l'air d'un clochard. C'était horrible. Alors maintenant, je me suis payé une paire de Puma, à plus de 100 euros. »

« Avec les marques, on est plus acceptés, on est mieux vus », explique Mahieddine, 15 ans. Pour Grégoire, 13 ans : « Quand on n'a pas de marque, on se sent moins en confiance avec les autres garçons et avec les filles. Avec la marque, tout va mieux… sauf pour les contrôles de maths, malheureusement. »

Le seul problème des marques, à leur avis, c'est le prix. « Mille *balles[1], seulement pour un crocodile[2], ils sont malades ! La marque, c'est trop cher », regrette Mehdi, élève de 4e, avec sa paire de Nike à 150 euros aux pieds. Alors, certains profitent de leur anniversaire ou de Noël pour demander des vêtements comme cadeau. Et ils expliquent aux parents que « c'est de la meilleure qualité, ça dure plus longtemps ». ∎

[1] 1 000 *balles = 1 000 francs (≈150 euros).
[2] Un crocodile :

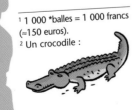

Un mouton :

Forum

Les fringues et les parents *(proposé par Audrey)*

http://www.colleges.net/forum/lesfringues.html.

Pas facile ! De : Audrey, 12 ans

Moi j'ai 12 ans et j'ai la passion des fringues depuis toujours ! Mais ma mère en a ras le bol !
Elle me dit toujours : t'as assez de vêtements. Mais moi, je ne veux pas mettre les mêmes
fringues (j'ai envie de changer tous les jours). En +, ma mère n'aime pas trop les pantalons
vachement longs !
Je suis sûre que vous avez le même problème. Alors svp aidez-moi et dites-moi comment
vous avez fait !   Répondre à ce message

Qu'est-ce que ça va être ! De : Sarah, 15 ans

Si t'es déjà comme ça avec les fringues à 12 ans, qu'est-ce que ça va être plus tard ?
Ta mère a quand même son mot à dire : je pense que c'est elle qui paie, non ? Alors, parle et
mets-toi d'accord avec elle : tu lui demandes un peu d'argent tous les mois (20-30 euros) pour
acheter des fringues. Comme ça, elle voit combien tu dépenses, et tu peux choisir toute seule.
                                                                                    Répondre à ce message

Faut pas exagérer De : Manon, 13 ans

Ma mère, elle me laisse porter les trucs que je veux, et si ça lui plaît pas elle me dit qu'elle aime
pas, mais on parle et elle me l'achète quand même ! Mais c'est vrai que acheter des fringues
tout le temps (3-4 par mois) c'est exagéré ! Non moi, c'est 2 fringues par mois, point barre.
                                                                                    Répondre à ce message

Consommation De : Justine, 16 ans

La mode, c'est juste un truc pour pousser les gens à la consommation. Moi, pas question d'être
comme tout le monde et de devenir un mouton ! Ne te transforme pas en victime de la mode !
C'est pas avec les fringues que l'on réussit !
                                                                                    Répondre à ce message

Fashion victim De : Morgane, 13 ans

Oui, je suis d'accord avec toi ! Moi aussi, j'ai la passion des fringues, comme d'autres,
la passion des chevaux… J'adore les fringues ! Merci pour ton message.
                                                                                    Répondre à ce message

Pas de style De : Julie, 14 ans

Moi, j'ai peu de fringues (c'est trop cher), j'ai pas de style, mais je dors bien la nuit. J'ai
4 jeans taille basse mais pas trop moulants, et des t-shirts logos. Il faut autre chose ? Ah si :
un peu de mascara noir ou bleu. Et pour faire de l'effet, j'aime bien la casquette.
Pour ta mère : parle mieux avec elle, et t'énerve pas ! On peut toujours parler avec les
parents, il faut apprendre à parler avec eux, c'est plus simple pour tous !
                                                                                    Répondre à ce message

*Point barre = un point, c'est tout. S'énerver = s'exciter.

PF 1. Faites une enquête dans votre
classe et écrivez un reportage
comme celui sur le lycée
Voltaire.

ED 2. Écrivez votre réponse pour le
forum « Les fringues, c'est pas
la vie » (70 mots minimum).

3. Discussion à trois sur les vêtements de marque
(Êtes-vous victime des marques ? Faut-il avoir des
vêtements de marque pour être accepté ?
Dépensez-vous trop d'argent en « fringues » ? etc.).

4. Discussion à trois sur les vêtements interdits au collège
Voltaire et dans votre collège.

🖐️ De retour

```
De     : Marine Santos : <marina@club-net.fr>
Date   : Samedi 20 août 2005
À      : Thomas Brémond : <tom-breme@a-to-z.com>
Objet  : Re : De retour !
.....
▷ Pièces jointes : sarlat.jpg, coquet.jpg, tentes.jpg
```

Ouf ! Le Périgord, c'est très beau, mais moi, je devenais folle là-bas ! Comme tu le sais, je déteste le camping. Eh bien, on dormait dans de grandes tentes, il y avait de l'herbe et des fourmis partout, même dans le lit ! L'horreur, je te raconte pas… En plus, on ne pouvait pas rester longtemps sous la douche parce qu'il fallait économiser l'eau ! Le pire, c'est que j'ai eu des problèmes avec le moniteur. Moi, tu me connais, les gens qui sont toujours de mauvaise humeur, je les déteste. Eh bien, ce moniteur, il râlait toujours !

Un matin (on se levait tous les jours à 6 h), je me suis levée en retard et je n'ai pas pu déjeuner ! Le moniteur m'a dit : « On t'a attendu un moment, mais maintenant, c'est trop tard ! » Un peu avant midi, j'étais tellement fatiguée et j'avais si chaud que je transpirais comme une bête, et le moniteur m'a vue (on nous faisait transporter des pierres pour réparer un vieux château, c'était très fatigant). Il était un peu ennuyé, alors il m'a dit : « Je peux t'emmener à l'infirmerie, si tu veux », mais j'ai refusé ! Moi, les gens qui font semblant d'être gentils quand c'est trop tard, je les déteste !

Bon, tu as compris que le matin on réparait un vieux château, mais l'après-midi, c'était quand même un peu mieux. On pouvait choisir entre plusieurs activités : il y avait un cours intensif d'anglais, de l'équitation, et d'autres sports. On pouvait aussi nager dans la piscine. Moi, j'ai choisi cours d'anglais et équitation.

Je te mets une photo de Sarlat, une très belle ville du Périgord (on était tout près) et une photo de moi avec un cheval qui s'appelait Coquet : il était si gentil que tout le monde l'adorait. Ah ! je mets aussi une photo des tentes où on dormait, mais pas de photo du château où on nous faisait travailler, c'était trop l'horreur (tu me connais, je n'aime pas trop me fatiguer) !
Bizzzz
Marine

P. S. : Je n'ai rencontré personne d'intéressant.
Pas de nouveaux copains ou copines, rien !

Les Français disent « **je te raconte pas** », mais souvent ils racontent quand même.

De	:	Thomas Brémond : <tom-breme@a-to-z.com>
Date	:	Dimanche 21 août 2005
À	:	Marine Santos : <marina@club-net.fr>
Objet	:	Re : De retour !

▷ Pièces jointes :

Je te comprends. Moi aussi je suis de retour, et moi non plus, je n'aime pas trop faire d'efforts. Mes cousins ont essayé de me faire jouer au volley sur la plage. Ils ont insisté pour me faire marcher... De longues marches à pied, tu te rends compte ! Et ils marchent vite, tu peux me croire ! Si vite que j'avais du mal à les suivre. Un jour, j'étais si fatigué qu'ils ont dû me porter ! Mon oncle dit toujours qu'un garçon de 13 ans doit faire du sport pour devenir fort (pour devenir un homme, comme il dit) : au moins un sport collectif comme le football, le volley, le basket ou le handball, et un sport individuel : de la marche, de la bicyclette, de la natation, du ski, et tout un tas de choses comme ça qui me font suer (tu me comprends). Mais j'ai réussi à rester sur la plage et à nager seulement une heure par jour.

Par contre, j'ai lu et j'ai écrit. Tu sais que je veux devenir romancier, et j'ai lu que tous les grands romanciers ont commencé tôt à écrire. Alors je me suis mis à écrire le premier chapitre de mon premier roman. C'est dur, mais j'y arriverai...

Je ne souhaite pas tellement devenir fort, mais je veux vraiment devenir un grand romancier plus tard !

Repose-toi bien avant la rentrée !

Grosses bises

Tom

> *un tas de... ou tout un tas de... = beaucoup
> faire suer = faire transpirer
> et *faire suer = ennuyer
> *faire marcher = tromper

BASKET

NATATION

SKI

Écoute !

→ *Extrait de chanson :* **Jacobi marchait** *(Charlélie Couture, suite)*

> *Bientôt les premières gouttes sont tombées*
> *sur la route puis la pluie a redoublé,*
> *coûte que coûte Jacobi continuait pas à pas à avancer*
> *Du nord à l'est, du sud à l'ouest Jacobi*
> *cherchait le paradis, un coin à l'abri*
> *avec un lit, un bol de riz,*
> *Jacobi disait : ça m' suffit*
> *Marcher de midi à minuit...*

Je t'explique...

→ **Raconter au passé : imparfait ou passé composé ?**

Imparfait : situation ou description	Passé composé : événement, action
Il faisait beau,	*alors je me suis levée tôt.*
J'étais fatigué,	*alors je suis resté chez moi, je n'ai pas fait de sport.*

→ **Les pronoms me, te, le / la...**

*Je suis en retard, on **m'**attend.*　　　　*Quand j'arrive, tout le monde **me** regarde.*

*Tu es en retard, on **t'**attend.*　　　　*Quand tu arrives, tout le monde **te** regarde.*

*Elle est en retard, on **l'**attend.*　　　　*Quand elle arrive, tout le monde **la** regarde.*

*Il est en retard, on **l'**attend.*　　　　*Quand il arrive, tout le monde **le** regarde.*

*On est en retard, on **nous** attend.*　　　　*Quand on arrive, tout le monde **nous** regarde.*

*Nous sommes en retard, on **nous** attend.*　　*Quand nous arrivons, tout le monde **nous** regarde.*

*Vous êtes en retard, on **vous** attend.*　　　*Quand vous arrivez, tout le monde **vous** regarde.*

*Elles sont en retard, on **les** attend.*　　　*Quand elles arrivent, tout le monde **les** regarde.*

*Ils sont en retard, on **les** attend.*　　　*Quand ils arrivent, tout le monde **les** regarde.*

→ **Faire + infinitif**

— *Il était en retard, il **m'a fait attendre**
deux heures !* (= j'ai attendu à cause de lui)

— *C'est un professeur qui **nous fait réfléchir**.*
(= on réfléchit grâce à lui)

→ **Si + adjectif / adverbe + que...**

*Il est passé **si** vite **que** je n'ai rien vu !*

*Il était **si** content **qu'il** s'est mis à chanter.*

MAIS OUI, ON FAIT DU SPORT ENSEMBLE ! JE LE FAIS COURIR TOUS LES JOURS !

À toi de parler !

❶ Je vais me coucher !

— Je suis fatigué(e), alors je vais me coucher tôt ce soir.

— Ah ? Moi aussi, hier soir, j'étais fatigué(e), et je suis allé(e) me coucher tôt.

> **être fatigué(e) / aller se coucher**
> → avoir faim / aller au restaurant ; avoir soif / boire un grand verre d'eau ; être content / téléphoner à ses parents ; avoir peur / fermer la porte à clé ; avoir mal / appeler le médecin ; avoir envie d'acheter un vêtement / aller dans un magasin ; vouloir voir ce film / aller au cinéma…
>
> **ce soir** → cet après-midi, demain

❷ Pourquoi ?

— Pourquoi tu t'es couché(e) tôt hier ?

— Parce que j'étais très fatigué(e).

> **se coucher tôt / être fatigué(e)**
> → sortir / avoir envie d'aller aux toilettes ; ouvrir / avoir chaud ; rester à la maison / avoir du travail ; fermer la fenêtre / avoir froid…

❸ Tu m'écoutes ?

— Tu m'écoutes ?

— Mais oui, je t'écoute ! Pourquoi cette question ?

— Parce que tu ne me regardes pas !

— Mais si, je te regarde !

> **tu m'écoutes** → il l'écoute, vous nous écoutez, elles les écoutent, tu m'aimes, ils le comprennent…

❹ C'est lui qui...

— J'ai un ami, je l'appelle souvent au téléphone...

— Moi, j'ai un ami, c'est lui qui m'appelle.

— Je l'adore !

— Il m'adore !

— Je le connais bien...

— Il …

— Je le comprends bien.

— Il …

— Je ne l'oublierai jamais.

— …

— Je ne le quitterai jamais.

— …

> **J'ai un ami** → j'ai une amie, j'ai des amis

❺ Il court beaucoup ?

— Il court beaucoup ?

— Oui, avec son frère, tous les jours.

— C'est son frère qui le fait courir tous les jours ?

— Oui, il ne court jamais sans lui.

> **il court beaucoup (avec son frère)**
> → tu parles anglais (avec mon professeur), elle travaille beaucoup (avec ses parents), elles jouent beaucoup (avec leurs amis), vous marchez beaucoup (avec ma femme / mon mari)…

❻ Cet exercice était si difficile que je n'ai pas pu le faire.

— Pourquoi tu n'as rien vu ?

— Parce que je suis passé(e) très vite.

— Tu es passé(e) si vite que tu n'as rien vu ?

— Oui, c'est ça.

> **ne rien voir / passer très vite** → dormir à table / être très fatigué ; ne pas pouvoir travailler / être fatigué ; rester au lit / être malade ; pouvoir porter la valise / être lourde ; pouvoir faire l'exercice / être difficile

Activités complémentaires : voir le *Cahier d'exercices* pp. 37-38

À toi de jouer !

1 🎧 Histoire drôle : après l'examen.

🗣️ Écoutez la conversation, reconstituez-la puis jouez-la.

LE PROFESSEUR : Vous avez répondu « Moi non plus ».

LE PROFESSEUR : Ce n'est pas la question qui est importante, mais c'est votre réponse.

LE PROFESSEUR : Vous avez répondu presque la même chose : pour la question n° 9, votre réponse est un peu différente.

LE PROFESSEUR : Mademoiselle, je regrette, mais vous avez zéro !

LE PROFESSEUR : Oui.

LE PROFESSEUR : Oui et non...

LE PROFESSEUR : C'est simple : à la question 9, Sabine a répondu « Je ne sais pas. »

L'ÉTUDIANTE : Cette question est si importante que j'ai zéro ?

L'ÉTUDIANTE : Ma réponse ? Elle est différente de la réponse de Sabine ?

L'ÉTUDIANTE : Je ne comprends pas...

L'ÉTUDIANTE : Pour seulement une question différente ?

L'ÉTUDIANTE : Et moi, qu'est-ce que j'ai répondu?

L'ÉTUDIANTE : Zéro ? Mais j'ai répondu la même chose que mon amie Sabine qui a 18.

2 Mes vacances.

✍️ Dans le courriel p. 59, Thomas raconte ses vacances à Marine qui sait où il est, avec qui... Imaginez que Thomas écrit à un correspondant qui ne le connaît pas : il explique où il est, avec qui, etc.

3

Écrire à deux.

✍️ Continuez cette histoire à deux : A écrit à gauche (imparfait) et B écrit à droite (passé composé).

Je marchais dans la rue, il pleuvait...

Il était...

J'ai vu un homme...

Il ...

4 Mes photos de vacances.

Imaginez que c'est vous qui avez pris ces photos pendant vos vacances. Vous expliquez à votre voisin(e) où vous étiez (vous pouvez imaginer), ce que vous avez fait, pourquoi vous avez pris cette photo. Votre voisin(e) vous pose des questions.

Exemple : – Ici, j'étais en / à …, avec … J'ai pris cette photo parce que c'était bizarre / intéressant / joli … Après la photo, j'ai …

5 Avant et après.

— Avant, j'étais… / j'aimais… / je détestais…, mais j'ai changé : maintenant je…
— Ah bon ? Et pourquoi tu as changé, qu'est-ce qui t'est arrivé ?
— …

Imaginez et jouez une conversation où vous racontez que vous avez changé.

6 Texto.

Dans un texto (ou SMS) sur un téléphone portable on écrit le moins possible de lettres.

CT bien ? tu as bien naG ? Pas 2 prblm ?

Écrivez ce message en français correct.

Autres activités : voir le *Cahier d'exercices* pp. 39-40

Le Tour de France

Les deux sports les plus populaires en France sont le football et le cyclisme (le vélo).

Le Tour de France est la grande compétition française de cyclisme, et pendant presque tout le mois de juillet, on ne parle que du Tour de France à la radio et à la télévision françaises. De nombreuses familles partent en vacances pour suivre le Tour de France : elles mettent chaque jour la tente ou la caravane au bord de la route pour voir passer leurs champions. Il y a aussi ceux qui partent avec leur vélo et qui font une partie du trajet à vélo pour se comparer aux champions…

C'est une course par équipes, mais il y a un vainqueur qui porte un maillot jaune. Le premier Tour de France a été couru en 1903. Les coureurs faisaient tout le tour de la France à vélo avant d'arriver à Paris sur les Champs-Élysées. Sur les vélos de cette époque, qui étaient moins sophistiqués et plus lourds que les vélos modernes, c'était très dur. Les étapes étaient très longues : les coureurs devaient faire 2 470 km en six jours seulement, et restaient 17 h sur leur vélo pour l'étape la plus longue !

Le Tour de France n'est pas réservé aux Français : dans les équipes, il y a des coureurs de très nombreuses nationalités. Le Tour de France a été gagné par des Français, des Italiens, des Espagnols, des Allemands, des Hollandais, des Belges, des Suisses, un Colombien et un Américain.
Actuellement, les coureurs parcourent environ 3 500 km, en 20 à 22 étapes de 60 à 240 km, et les meilleurs cyclistes roulent à 41 km/h de moyenne (contre 27 km/h de moyenne en 1903). Certaines années, le Tour de France propose aussi une étape à l'étranger, juste de l'autre côté de la frontière…

PF 1. Faites une enquête dans votre classe (qui fait du sport ? quels sports ? de la compétition ? est-ce qu'on fait assez de sport à l'école ? qui regarde les sports à la télévision ? etc.) : écrivez au moins douze questions, puis rédigez un petit texte sur les résultats de votre enquête.

ED 2. Écrivez votre réponse pour le forum (70 mots minimum) : « Que pensez-vous des compétitions sportives ? »

 3. Discussion à trois sur les sports que vous aimez ou détestez regarder à la télévision.

4. Écrivez un texte pour présenter à des Français les sports les plus populaires dans votre pays (avec les grandes équipes ou les grands champions).

Séquence
2

Forum

Les sports et la compétition

http://www.colleges.net/forum/competition.html.

J'adore la compétition ! De : Anne, 15 ans

Je fais de l'athlétisme depuis 1 an et demi et c'est génial ! Ça a changé pas mal de choses dans ma vie.
— J'ai maintenant un but : arriver au plus haut niveau... Avant, je ne faisais rien de spécial, je faisais un peu les mêmes choses que les autres, sans être vraiment intéressée... Regarder la télé, c'est pas un but dans la vie...
— La compet' ça permet de se comparer aux autres et surtout de s'améliorer énormément. Il n'y a rien de mieux pour faire des progrès !
— Grâce à la compet', je me sens mieux, je suis plus sûre de moi... Les côtés négatifs, c'est le nombre de sacrifices que l'on doit faire : j'ai moins de temps pour mes amies, et les p'tits copains on n'en parle même pas...

Répondre à ce message

Plus de sport ! De : Christophe, 14 ans

On ne fait pas assez de sports à l'école et j'aimerais en faire plus. Mais je n'aime pas vraiment la compétition. Moi, je joue au foot et chaque match est une sorte de compétition, mais c'est un sport d'équipe ! Et je préfère parce qu'on ne peut pas se comparer aux autres, c'est toute l'équipe qui doit gagner, pas un seul joueur... Bien sûr, il y en a dans l'équipe qui rêvent de devenir des Thierry Henry ou des David Beckham, mais attention, on est seulement des cadets et on ne peut pas savoir comment on sera plus tard. Alors faut pas être trop ambitieux ! C'est le risque de la compet'.

Répondre à ce message

Danger ! De : Lucie, 14 ans

Si la compétition devient une drogue, c'est dangereux ! Parce que toujours vouloir gagner et faire mieux que les autres, ce n'est pas très sain du tout : on n'est pas des professionnels, comme le rappelle Christophe ! Moi, je fais des compétitions en course d'orientation et j'aime vraiment l'ambiance qui y règne. Pour moi, avant tout, c'est un entraînement, et puis une façon de découvrir du pays et de voyager un peu et même à l'étranger sans avoir les parents derrière moi. J'essaie bien sûr de finir les courses le plus vite possible, mais sans trop penser à la récompense, ou aux autres participants comme à des concurrents ! Je cours pour moi, pas contre les autres et pas pour la médaille.

Répondre à ce message

C'est l'angoisse ! De : Mathieu, 12 ans

Salut ! Moi à chaque fois que je vais faire des compétions de voile (mon bateau est un « Optimist »), j'ai toujours mal au ventre, je me sens un peu mal, mais c'est sûr que je suis vachement content à la fin d'avoir fait la régate ! Je suis super anxieux avant une compétition !

Répondre à ce message

Tout à fait d'accord ! De : Chloé, 14 ans

Salut ! Je suis complètement d'accord avec toi, Mathieu : pour moi c'est pareil, quand je vais à une compet', je suis toujours super anxieuse. Des fois le matin quand je me lève, je me demande pourquoi je me suis inscrite... mais le stress ça fait partie de la compétition. Et puis après, je suis toujours fière car on a toujours de super bons souvenirs, même si mon équipe de volley n'a pas gagné. Moi aussi je suis contente de raconter à mes amis comment se passent les compet' : comme ils connaissent pas, ça les intéresse et puis je suis considérée comme la super sportive de la classe. Alors, avant le grand jour, j'ai toujours droit aux « bonne chance », « m... », « on est avec toi » ou « tu les auras tous ». Ça me fait super plaisir, ça me donne du prestige, je me sens un peu spéciale !

Répondre à ce message

*Compet' = compétition. – Pour les compétitions de sport : 11-13 ans = benjamin, 13-16 ans = cadet.

soixante-cinq **65**

De : Marine Santos : <marina@club-net.fr>
Date : Mercredi 7 septembre 2005
À : Thomas Brémond : <tom-breme@a-to-z.com>
Objet : Ça va ?

▷ Pièces jointes : Karen.jpg

Tu n'es pas bavard, dis donc ! Moi, j'ai recommencé au collège il y a trois jours. Ma correspondante canadienne est arrivée, je t'en ai déjà parlé ? (Je te mets sa photo.) Elle se débrouille bien en français, elle va suivre les mêmes cours que moi au collège, elle est sympa. Mais, pas de chance, elle a eu un accident il y a quelques jours. Elle est tombée à vélo, et elle s'est blessée à la jambe. Elle est à l'hôpital et elle n'en sortira pas avant vendredi.

Si ça ne te dérange pas trop, réponds-moi, cette fois !

À +

Marine

De : Thomas Brémond : <tom-breme@a-to-z.com>
Date : Jeudi 8 septembre 2005
À : Marine Santos : <marina@club-net.fr>
Objet : Re : Ça va ?

▷ Pièces jointes :

Ça va, oui. J'ai bien reçu tes messages mais je ne m'en sors pas, avec mon bouquin.

Bizz

Tom

De : Marine Santos : <marina@club-net.fr>
Date : Jeudi 8 septembre 2005
À : Thomas Brémond : <tom-breme@a-to-z.com>
Objet : Quel bouquin ?

▷ Pièces jointes :

Tu dois déjà lire un livre pour le collège, ou quoi ?

Bizzz

Marine

De : Thomas Brémond : <tom-breme@a-to-z.com>
Date : Jeudi 8 septembre 2005
À : Marine Santos : <marina@club-net.fr>
Objet : Comment ça, quel bouquin ?

▷ Pièces jointes :

Tu ne te rappelles pas que j'écris un roman ?

Tom

Fleur Bleue

De : Marine Santos : <marina@club-net.fr>
Date : jeudi 8 septembre 2005
À : Thomas Brémond : <tom-breme@a-to-z.com>
Objet : Non, Monsieur !

▷ Pièces jointes :

Non, Monsieur, je ne me souvenais pas que Monsieur écrivait un roman ! Et je me rends compte que quand Monsieur écrit, il ne pense qu'à lui !
Tu peux en dire plus ?
Marine

De : Thomas Brémond : <tom-breme@a-to-z.com>
Date : Jeudi 8 septembre 2005
À : Marine Santos : <marina@club-net.fr>
Objet : Eh ? Tu boudes ?

▷ Pièces jointes : Delprat1.jpg, Emilie.jpg, Alex.jpg

Si tu boudes, c'est pas le moment ! Tu ne devineras jamais où mes voisins déménagent ! À Annecy, tu te rends compte ! Tu vas pouvoir m'aider ! Tu seras mon enquêtrice ! Tu les observeras, tu me renseigneras. Bonne idée, non ?
Ci-joint des photos d'eux, ils s'appellent Delprat.

De : Thomas Brémond : <tom-breme@a-to-z.com>
Date : Jeudi 8 septembre 2005
À : Marine Santos : <marina@club-net.fr>
Objet : Excuse !

▷ Pièces jointes :

Excuse-moi, mais je suis découragé. J'ai commencé à écrire mon roman (ou peut-être un scénario de film, je ne sais pas encore bien) et j'ai choisi de l'écrire sur mes voisins. J'y ai pensé quand j'ai remarqué qu'ils faisaient parfois des choses bizarres. Je les observais et j'écrivais. Mais je viens d'apprendre qu'ils vont déménager ! Pas de bol !
Tom

De : Marine Santos : <marina@club-net.fr>
Date : jeudi 8 septembre 2005
À : Thomas Brémond : <tom-breme@a-to-z.com>
Objet : Pas question !

▷ Pièces jointes :

Monsieur redevient bavard ? Monsieur a besoin d'une secrétaire ? Moi, ton enquêtrice ? Tu n'y penses pas ! Tu me prends pour qui ? Je refuse !

De : Marine Santos : <marina@club-net.fr>
Date : vendredi 9 septembre 2005
À : Thomas Brémond : <tom-breme@a-to-z.com>
Objet : J'ai trouvé ton enquêtrice

▷ Pièces jointes :

On peut dire que tu as de la chance ! Karen est rentrée de l'hôpital, je lui ai tout raconté. Elle doit faire un travail sur une famille française, pour son école. Elle veut bien être ton enquêtrice. Son adresse : fleurbleue@col.net

Une enquête pour Fleur Bleue

Écoute !

→ Extrait de chanson : Que reste-t-il ? *(créée pour Jenifer)*

J'avais juste envie d'en parler

Mais tu n'as pas su m'écouter

Dis-moi pourquoi je suis seule et j'ai froid

Je ne veux plus rester comme ça.

Paroles : Essaïe - Daniel Moyne.
Musique : Essaïe. Édition : Baxsongs.

Je t'explique...

→ Le pronom « en »

• Pour ne pas répéter un complément introduit par « de » :

*J'ai besoin **de** ce dictionnaire. → J'**en** ai besoin. (Je n'**en** ai pas besoin.)*

*Il a bien profité **de** ses vacances. → Il **en** a bien profité. (Il n'**en** a pas bien profité.)*

*Elle va parler **du** roman ? → Elle va **en** parler. (Elle ne va pas **en** parler.)*

*Il vient **de** Toulouse. → Il **en** vient. (Il n'**en** vient pas.)*

*Elle est contente **de** son nouveau vélo. → Elle **en** est contente. (Elle n'**en** est pas contente.)*

• Pour ne pas répéter un complément avec un article indéfini (un, une, des) :

*J'ai une idée. → J'**en** ai **une**. (Je n'**en** ai pas.)*

*Vous avez des problèmes ? → Vous **en** avez ? (Vous n'**en** avez pas ?)*

• Pour ne pas répéter un complément avec un article partitif (du, de la, de l') :

*Il y a **de l'**eau ? → Non, il n'y **en** a plus.*

OUI, LA TROMPETTE, J'AIME BIEN ...SAUF QUAND TU EN JOUES !

→ Le pronom « y »

• Pour ne pas répéter un complément de lieu :

— *Je vais **à Annecy**.— Tu **y** vas comment ?*

— *La carte est **sur l'étagère** ? — Non, elle n'**y** est pas.*

— *Tu es déjà allé **en France** ? — Non, je n'**y** suis jamais allé.*

• Pour ne pas répéter certains compléments introduits par « à » :

— *Tu **y** crois, toi, **à cette histoire** ? — Non, je n'**y** crois pas.*

— *Tu as pensé **à acheter** le journal ? — Non, je n'**y** ai pas pensé.*

✎⟶ Le passé récent : venir de + infinitif

Il vient de sortir = Il est sorti il y a juste une minute.

— *Tu as pris ton petit déjeuner ?*
— *Je viens de le prendre.*

— *Vous êtes déjà allé(e) en France ?*
— *Je viens d'y aller. = J'y suis allé(e) il n'y
  a pas longtemps.*

✎⟶ Pour proposer, accepter, refuser

Proposer	Accepter	Refuser
Qu'est-ce que tu en penses ?	*Bonne idée !*	*Non merci.*
Tu en as envie ?	*D'accord. Je veux bien.*	*Non, je n'en ai pas envie.*
Tu veux bien ?	*Avec plaisir.*	*Pas question !*
Bonne idée, non ?	*J'accepte avec plaisir.*	*Tu n'y penses pas !*

À toi de parler !

❶ Dommage !

— Tu as une moto ?
— Oui, j'en ai une. Tu veux la voir ?
— Non, mais dommage, je voulais
  t'en offrir une.

| **moto** → appareil photo, portable, vélo,
guitare, CD, BD, vidéocassettes, skis

❷ Jamais !

— Vous buvez du café ?
— Non, je n'en bois pas. Je n'en bois
  jamais.
— Ah ? Moi, j'en bois beaucoup.

| **boire du café** → prendre du vin, acheter
des journaux, faire des dessins, avoir de la
chance, raconter des histoires, manger des
fruits, écouter de la musique, faire du sport

❸ J'en viens et je vais
y retourner.

— Vous allez à Paris maintenant ?
— Oui, j'y vais. Et vous ?
— Moi, non. Je n'y vais pas : j'en
  viens ! Mais je vais y retourner
  bientôt.

| **Paris** → restaurant, cinéma, poste,
banque, Portugal, Italie, Pays-Bas…

❹ Comment ?

— Je vais à Paris.
— Vous y allez comment ?
— J'y vais en voiture.

| **à Paris** → à Lyon, chez Martin, à la gare,
au bord de la mer, à la montagne…

| **voiture** → train, avion, bus, vélo, cheval

| **je vais** → je suis allé(e), je vais aller

❺ Je n'en ai pas trouvé.

— Tu étais où ?
— J'étais allé chercher un journal.
— Et alors ? Tu en as acheté un ?
— Non, je n'en ai pas trouvé.

| **un journal** → des fruits, de l'eau, un
appareil photo, des romans russes, des
CD, du café, un dictionnaire, une vidéo-
cassette…

❻ Tu es déjà allé(e) à Paris ?

— Tu es déjà allé(e) à Paris ?
— Non, mais je vais y aller bientôt.
— Ah ? Moi, je viens d'y aller.

| **aller à Paris** → acheter le journal, voir
ce film, regarder les informations, manger
dans ce restaurant, dormir dans cet hôtel,
visiter cette ville, lire ce livre…

Activités complémentaires : voir le *Cahier d'exercices* pp. 41-42

Une enquête pour Fleur Bleue

1 **Il / elle accepte ou refuse ?**

Écoutez et dites si les personnes acceptent, refusent, ou si on ne sait pas.

	1	2	3	4	5	6	7	8	9	10
accepte										
refuse										
on ne sait pas										

2 **Au téléphone.**

— ....

— ....

— Alors j'en profite pour venir te voir !
Tu habites où, exactement ?

— ....

— ....

Imaginez et
jouez le début et la fin
de cette conversation
au téléphone (plusieurs
répliques).

3

Pas besoin !

Reconstituez les phrases de cette conversation et jouez-la.

— des / je / portables. / Bonjour, / téléphones / vends

— intéresse / m' / Ça / ne / pas !

— Pourquoi ?

— ai / en / envie ! / je / Mais / n' / parce / pas / que

— avez / avez / besoin ? / en / en / envie, / mais / n' /
pas / peut-être / Vous / vous

— besoin ! / envie, / Ni / ni

— Sûr ?

— tranquille ! / Oui, / laissez-moi

4

Texto.

Karen a reçu
de Thomas le
texto suivant :

< essaie voir Delprat
Annecy demain – ont
rendez-vous 7, rue
Vaugelas 17 h. >

Écrivez le courriel
que Thomas aurait pu
écrire à la place du texto.

5 Conversations.
Relisez les pages 66 et 67.

 A. Imaginez que Marine et Thomas se sont téléphoné au lieu de s'écrire des courriels. Jouez les conversations.

La première conversation commence comme ça :

— Allô ! Thomas ? Je te dérange pas ?
— Non bien sûr ! Pourquoi tu demandes ça ?
— ....

B. Imaginez et jouez la conversation entre Marine et Karen quand celle-ci est rentrée de l'hôpital.

6

Au téléphone : « Est-ce que je vous dérange ? »

 A. Lisez le début et la fin de cette conversation. Imaginez et jouez à deux les répliques qui manquent (plusieurs répliques possibles).

— Allô, Thomas ? Je ne te dérange pas ?
— Excusez-moi, mais qui êtes-vous ?
— ....
— C'est ça : je ne suis pas Thomas !

B. Écoutez ensuite la conversation.

7 Qu'est-ce qu'ils peuvent dire ?
Faites-les parler.

Autres activités : voir le *Cahier d'exercices* pp. 43-46

☝ Ça va être génial !

1 ÉMILIE : — Ça va être génial ! Je vais sûrement aimer cet appartement !

ALEX : — *Bof ! Moi, je déteste les appartements. Pourquoi on n'a pas choisi une maison ?

MME D. : — Une maison ne coûte pas le même prix qu'un appartement, Alex !

A. : — *Eh ben, moi, je préfère avoir une maison ! J'aimais bien la maison qu'on avait à Toulouse.

MME D. : — Oh, écoute, Alex, décidément, tu n'es jamais content ! Ta sœur a raison !

2 MME D. : — Voilà, nous sommes arrivés : c'est ici. C'est l'immeuble que vous voyez, en face.

M. D. : — Il a l'air très bien, vous ne trouvez pas ?

MME D. : — Si, et il est bien situé. Regardez le plan d'Annecy : on est dans le centre, mais dans un quartier qui a l'air calme.

É. : — Et c'est à quel étage ?

MME D. : — Au deuxième.

É. : — Comme à Paris !

MME D. : — Oui, mais l'appartement d'ici est plus grand. Vous allez voir ! Il fait 120 m² et il a cinq pièces. À Paris on avait seulement trois pièces.

A. : — Et il y a un ascenseur ?

É. : — Évidemment ! Mais tu as besoin d'un ascenseur, toi qui es jeune et sportif ?

A. : — *Ouais, plus sportif que toi !

3 MME D. : — Voilà, vous pouvez entrer :
nous sommes enfin chez nous !

É. : — Quel grand séjour ! Et la cuisine aussi
est *drôlement grande !

A. : — D'accord, mais moi, il y a une seule
chose qui m'intéresse : c'est ma chambre.
Où est-ce qu'elle est ?

MME D. : — Écoute, Alex, il y a quatre
chambres dans cet appartement, et on en a
besoin de seulement trois. Alors, il ne doit pas
y avoir de problème, ni pour toi, ni pour
nous quatre !

4 É. : — La grande chambre, elle
est sûrement pour toi et papa.
Alors, est-ce que je peux prendre la
petite, ici ?

MME D. : — Bien ! Et la chambre qui est
à côté du séjour, ça va être la chambre
d'amis.

A. : — Et voilà ! Tout le monde a choisi
et moi, je dois prendre la chambre qui
reste ! La chambre que personne ne
veut, quoi !

Mme D. : — Oh ! Écoute, Alex, arrête
de grogner comme ça. Elle a la même
surface que l'autre. Et la fenêtre donne
sur le jardin.

A. : — Peut-être, mais c'est cette
chambre-là que je préfère : je n'ai pas
le droit de choisir, moi ?

MME D. : — Quel caractère ! Regarde
donc : en plus, ici, il y a une petite
douche !

É. : — Tu vas enfin pouvoir te laver ! !

5 MME D. : — Tu sais, Alex, tu es pénible, arrête de grogner. Quand tu
es quelque part, tu veux toujours être ailleurs !

A. : — Oh alors ça ! Ce n'est pas vrai ! C'est vous qui avez voulu
venir ici, moi j'étais bien à Toulouse !

Écoute !

un / premier – première, deux / deuxième ou second – seconde,
trois / troisième, six / sixième, neuf / neuvième, dix / dixième,
dix-neuf / dix-neuvième, vingt / vingtième, vingt et un / vingt et unième

Je t'explique...

Quand on compare et quand on montre : les démonstratifs + « là »

Ce plan-**là** est plus exact.
Cette chambre-**là** est plus confortable.

Je préfère **cet** immeuble-**là** !
J'aime mieux **ces** maisons-**là**

Du premier au dernier

1er /1re : premier / première	**6e** : sixième	**19e** : dix-neuvième
2e : deuxième ou second(e)	**7e** : septième	**20e** : vingtième
3e : troisième	**8e** : huitième	**21e** : vingt et unième
4e : quatrième	**9e** : neuvième	**31e** : trente et unième
5e : cinquième	**10e** : dixième	

avant-dernier / avant-dernière, dernier / dernière.

Pour les étages : **rez-de-chaussée**, premier étage, deuxième...

Pour comparer : le / la / les même(s)... que...

Il a **le même** âge **que** toi. = Il est aussi jeune / vieux que toi.
Elle a **la même** taille **qu'**eux. = Elle est aussi grande / petite qu'eux.
C'est amusant : tu as **les mêmes** lunettes **que** moi !

Laver, se laver

Je me lave (je me douche, je me baigne).
Je me lave les mains, les dents. Je lave mes mains.
Je lave ma chemise.

*Je m'en lave les mains = ça m'est égal, ce n'est pas mon problème.

Pour décrire un appartement ou une maison

Il est situé / il se trouve dans le centre / dans un quartier calme / dans un immeuble...

Il est au 4e étage... Il y a un ascenseur / il n'y a pas d'ascenseur.

Il a quatre pièces... Il a une surface de / il fait 100 m² (mètres carrés).

Les fenêtres donnent sur la rue / le jardin...

Il coûte 450 euros par mois / le loyer est de 450 euros par mois.

✏→ *Les pronoms relatifs « qui » et « que »*

*J'ai des amis, **ils** habitent Annecy.*
→ *J'ai des amis **qui** habitent Annecy.*

*J'ai des amis, je **les** aime beaucoup.*
→ *J'ai des amis **que** j'aime beaucoup.*

Il râle encore !
→ *C'est encore lui **qui** râle !*

Je préfère cette chambre.
→ *C'est cette chambre **que** je préfère.*

Cette ville m'intéresse / elle est dans le Sud.
→ *La ville **qui** m'intéresse est dans le Sud.*

J'aime cette ville / elle est dans le Sud.
→ *La ville **que** j'aime est dans le Sud.*

🗣 À toi de parler ! 🗣

1 Bof !
— Il a une belle voiture, dites donc !
— Bof... j'ai un ami qui a la même
que lui.

┃ **une voiture** → des CD, une chambre,
un pull, un appartement...

┃ **il** → vous, elles, ils, tu

2 À quel étage, vous dites ?
— Les Petit habitent à quel étage ?
— Au deuxième étage à gauche.
— Au même étage que les Prandini ?
— Ah non ! Les Prandini habitent au
troisième, eux !

┃ **les Petit** → Voir le dessin.

3 Où se trouve... ?
— La cuisine est où ?
— Au sud, à gauche de l'entrée.
— Et la salle à manger ?

┃ → Voir le plan.

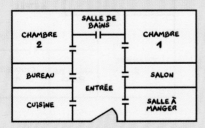

4 Qu'est-ce que tu dis ?
— J'ai un ami, il parle quatre langues.
— Qu'est-ce que tu dis ? Tu as un
ami... ?
— J'ai un ami qui parle quatre langues !
— Ah ! Moi, j'ai une amie qui en parle
cinq !

J'ai un ami, il parle quatre langues.
→ J'ai trouvé un appartement, il coûte seulement 100 euros. / Je connais un restaurant,
il est ouvert six jours sur sept. / Je connais
un informaticien, il a trois ordinateurs. / J'ai
un copain, il fait un mètre quatre-vingts...

5 Et alors ?
— On a regardé un film, hier...
— Et alors ?
— Personne ne l'a aimé.
— Vous avez regardé un film que
personne n'a aimé ? Et alors ?
— Et alors rien, c'était un drôle de
film que personne n'a aimé, c'est
tout !

**On a regardé un film, personne ne
l'a aimé.** → On a écouté une chanteuse,
personne ne la connaissait. / On a cherché
un restaurant, personne ne l'a trouvé. / On
a fait un exercice, personne ne l'a compris. /
On a chanté une chanson, tout le monde
l'a adorée. / On a vu un film, tout le
monde l'a trouvé intéressant...

Activités complémentaires : voir le *Cahier d'exercices* pp.47-48

À toi de
jouer !

1 Qui est le dernier ?

Écoutez et notez les nombres ordinaux que vous entendez.

a. quatrième (top)　　　　　　**b.** ....

c. ....　　**d.** ....

e. ....　　**f.** ....

2

Ça y est !

À LOUER	16ᵉ, PLACE IÉNA
PONT MIRABEAU grand 4 pièces, s. bains, 6ᵉ ét., balcon, asc. gard. 920 € par mois tél. 01 43 29 98 06	très beau 6 p. 230 m², gd séjour + 5 chambres, 2 s. bains, soleil, q. calme. 3 250 € / mois tél. bureau 01 47 66 32 11 dom. 01 47 20 65 19

— Ça y est ! J'ai trouvé un appartement !

— Raconte !

— C'est un appartement qui fait 60 mètres carrés, qui a 3 pièces, qui est situé dans le XVᵉ arrondissement...

— Et qui coûte combien ?

— Et qui coûte seulement 800 € par mois !

Regardez les petites annonces et jouez d'autres conversations.

3

À louer.

Regardez le plan de l'appartement, puis complétez la conversation entre un agent immobilier et son client et jouez-la.

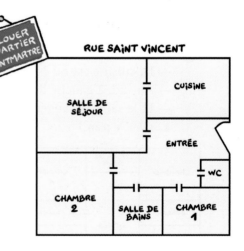

— Allô ! Je vous télépho-ne pour l'appartement à louer. Il m'intéresse.

— ...

— Mais cet appartement du quartier Montmartre, là ! Vous pouvez m'en parler ?

— ...

— Il a bien quatre pièces, n'est-ce pas ?

— ...

— Et les chambres don-nent où ? Sur la rue ?

— ...

— Ah ? Il donne sur la rue ?

— ...

— Très calme ? Vous êtes sûr ? Et la cuisine ?

— ...

— Et la salle de bains se trouve où ?

— ...

— Bien, merci. Je peux le voir quand ?

— ...

Ensuite, écoutez la conversation.

4 **Tu as lu le magazine « Notre maison » ?**

Continuez la conversation (A a lu l'article, B ne l'a pas lu, il pose beaucoup de questions).

Imaginez et jouez à trois l'interview de Karine et Vincent par le (la) journaliste qui a écrit l'article.

UNE MAISON DE PLAGE

Des fenêtres pour voir la mer

Quand Vincent et Karine ont acheté cette maison, ils cherchaient seulement un endroit pour passer quelques semaines de vacances par an. Mais maintenant, ils y viennent le plus souvent possible et ils rêvent même d'y vivre. « Ce n'est pas nous qui avons choisi la maison, c'est la maison qui nous a choisis, dit Vincent. De tous les endroits que j'ai habités, c'est vraiment la maison que je préfère. »

Elle est située au bord de la mer, quelque part entre Arcachon et Biscarosse. Elle n'est pas très grande, mais elle a l'air grande parce qu'elle est très ouverte : grandes portes, grandes fenêtres qui donnent sur la mer. Il y

a quatre pièces : 2 chambres, un bureau que Vincent n'aime pas parce qu'il ne donne pas sur la plage. Le séjour fait 50 m² mais les chambres sont très petites. « Normal, dit Karine, au départ c'était une maison de vacances. » Le piano est dans la pièce que Vincent n'aime pas. « Comme ça, je ferme la porte et je peux jouer sans le déranger ! » dit Karine. Pendant ce temps, Vincent fait la cuisine : la cuisine aussi donne sur la mer, et elle donne envie de manger du poisson ! Ni Karine ni Vincent n'ont accepté de dire combien cette maison a coûté. « Quand on aime, on ne compte pas », ont-ils répondu. ■ J.V.

5

Interview pour
le magazine
« Notre maison ».

A habite une
de ces résidences
(à choisir). Il / elle
est interviewé(e)
par B qui est journaliste
à la revue « Notre
maison ». A répond
aux questions de B.

Puis A et B écrivent
l'article correspondant
à l'interview.

Autres activités : voir le *Cahier d'exercices* pp. 49-51

Lecture

Détective

Cette vieille dame, je la vois souvent. Elle est toujours dans le parc et elle a l'air de chercher quelque chose ou d'attendre quelqu'un : elle se promène et elle regarde à droite et à gauche, elle s'arrête parfois, regarde une ou deux minutes vers l'entrée du parc, puis repart un peu plus loin.

Je ne la connais pas. Elle est vieille : soixante-dix ans peut-être, elle a les cheveux blancs, des lunettes et porte toujours la même robe rose. Quand je reviens du collège, à midi, je passe par le parc pour rentrer chez moi, et je la vois tous les jours. J'ai toujours envie de m'arrêter près d'elle pour lui demander ce qu'elle cherche ou qui elle attend, mais c'est difficile : je ne suis pas policier ! Alors, comment faire pour savoir ?

Aujourd'hui, c'est le premier jour des vacances. Je peux l'attendre dans le parc, et ensuite la suivre. Je vais savoir où elle habite, peut-être qui elle est, et connaître son secret ! C'est très amusant d'être une détective et de faire une enquête !

Ah ! La voilà ! Il est dix heures. Elle reste dans le parc et ensuite elle repart. Allons-y ! Je suis un peu nerveuse mais je la suis. Elle prend la rue des Écoles, passe sur le pont, et s'arrête devant un petit immeuble au numéro 35 de la rue. Maintenant, je connais son adresse. Elle a l'air de chercher sa clé, elle se tourne, et elle fait : « Bouh ! », puis elle rit et elle me dit : « Allez viens ! Ne reste pas là ! »

Elle m'a vue ! Je ne suis pas une bonne détective. Je lui raconte que je la vois tous les jours, que j'étais curieuse, que j'ai voulu savoir... et je m'excuse.

« Tu veux savoir pourquoi je me promène dans le parc ? Eh bien, je suis un peu seule, alors je cherche une amie... Mais ce n'est pas facile parce que je n'ai pas de chien. » Je ne comprends pas, et elle m'explique que beaucoup de personnes achètent un chien parce qu'elles peuvent ainsi rencontrer facilement d'autres propriétaires de chien dans le parc ou dans la rue. Ils commencent à discuter de chiens, et

ensuite, ils deviennent peut-être amis... Et elle ajoute : « Nous n'avons pas de chien, ni toi ni moi, mais nous pouvons discuter quand même ensemble, non ? » Voilà comment j'ai eu une nouvelle amie.

Elle est beaucoup plus vieille que mes autres camarades, mais elle est vraiment très amusante et très gentille. Elle a beaucoup de souvenirs de son enfance et elle me raconte comment c'était, avant, dans ce quartier. J'ai envie d'écrire un reportage sur le quartier il y a soixante ans. Comme elle a des photographies, je vais pouvoir illustrer mon reportage, et je vais le mettre sur mon site Internet.

Préparation au DELF

Oral collectif

Appartements à louer à Nice.

Vous allez écouter 3 personnes qui téléphonent. Elles souhaitent louer un appartement à Nice pour 2 semaines de vacances. Pour chacun des appartements, remplissez la grille ci-dessous.

	appartement 1	appartement 2	appartement 3
Surface			
Nombre de pièces			
Étage			
Loyer			
Vue sur la mer ?			

Oral individuel

1 Dialogue simulé.

Vous avez lu la petite annonce. Vous avez envie de passer des vacances en Corse et vous en parlez à vos parents. Ils vous demandent de téléphoner pour tout savoir avant de décider (surface, nombre de pièces, jardin, près / loin du centre-ville, prix par semaine, comment aller en Corse, nom et adresse de la personne qui loue cette maison, etc.). Vous devez noter ces informations pour vos parents.

Votre voisin(e) joue le rôle de la personne qui loue cette maison.

À louer
Calvi
Petite maison, 100 m de la plage. Libre juillet.
Tél. : 04 27 61 33 16

(Son nom : Dominique Mattéi. – Son adresse : 3, rue de l'Empereur 20260 Calvi. – Calvi : port dans le nord-ouest de la Corse. – Bateaux entre Calvi et Nice, tous les jours. – Veut savoir qui sont exactement ces clients possibles et pose beaucoup de questions.)

2 Raconter.

Racontez ce que vous avez fait pendant vos dernières vacances.

Préparez-vous à parler pendant 4-5 minutes : cherchez et écrivez 20-30 mots qui peuvent être utiles pour votre réponse (et n'oubliez pas les expressions de temps et de lieu).

Écrit

 Vous envoyez un courriel à votre ami(e) français(e) de Brest. Dans ce long courriel, vous devez :
- vous excuser de ne pas avoir répondu avant,
- expliquer que vous avez déménagé et dire quelques mots sur l'endroit où vous habitez maintenant,
- raconter comment est votre nouveau collège.

1 **Connaissance du lexique** *(15 points)*

A. **Trouvez un synonyme « correct » de :**

1. en avoir *marre ....

2. *râler ....

3. avoir *du bol ....

4. un *bouquin ....

5. *drôlement ....

6. *un tas de ....

7. *faire marcher quelqu'un ....

8. *dingue ....

9. *le boulot ....

10. *vachement ....

B. **Écrivez le mot complet (et « correct ») qui correspond à :**

11. les *maths ....

12. la *gym ....

13. la *géo ....

14. un *ado ....

15. le *ciné ....

2 **Connaissance de la langue** *(15 points)*

A. **Répondez (ou complétez) sans répéter (avec un pronom).**

1. Paul est chez toi ? — Non, il n'est pas chez ....

2. Il reste de l'eau ? — Non, il .... plus.

3. Tu as lu ce livre ? — Oui, je ....

4. Tu veux un livre ? — Non, je ....

5. Il achète ces chaussures ? — Oui, il ....

6. Ton pull est dans l'armoire ? — Oui, il ....

7. Moi, j'ai une trompette. Et toi, tu .... ?

B. **Mettez ce récit au passé.**

D'habitude, le soir, je ne m'amuse pas : j'ouvre mes livres d'école, j'apprends mes leçons, et je fais mes devoirs. Le matin, j'arrive à l'école à 8 h, je suis prêt, et je ne me trompe pas quand le professeur me pose une question.

Hier soir, je ne ....

.... Ce matin, je .... à l'école ....

3 **Expression écrite** *(30 points)*

PF ✍ Écrivez un texte (minimum : 12 phrases, 15 verbes) pour présenter les sports que vous aimez et pourquoi (ou pourquoi vous n'aimez pas faire de sport, si c'est le cas).

Séquence

3

objectifs

✋ Une jolie ville

ANNECY (74000) ch.-l. du dép. de la Haute-Savoie, sur *le lac d'Annecy*, à 540 km au S.-E. de Paris ; 51 143 hab. *(Annéciens)*. Évêché. Centre d'une agglomération industrielle (constructions mécaniques) de plus de 125 000 hab. – Ensemble de la vieille ville : château des XIIIᵉ-XVIᵉ s. (musée régional), cathédrale (XVIᵉ s.) et autres monuments. Journées internationales du cinéma d'animation.

Extrait du *Petit Larousse illustré*

DEVOIR DE FRANÇAIS

UNE FAMILLE D'ANNECY

I. ANNECY

C'est une jolie ville de seulement 51 000 habitants. Elle me plaît beaucoup parce qu'elle est à la fois touristique et industrielle. Le lac d'Annecy, plus petit que le lac de Genève, est vraiment magnifique, entre les montagnes. À Annecy, il y a un château qui date du XIIIᵉ siècle, beaucoup de vieilles rues et d'églises et aussi des canaux très pittoresques. Bien sûr, ils sont moins grands qu'à Venise ! Il n'y a pas de métro comme à Paris ou dans certaines grandes villes françaises. La ville est très propre et il y a des fleurs partout.

Les sites Internet : www.annecytourisme.com
www.annecybernard.com/webcam
www.ville-annecy.fr

Vendredi 9 septembre

Et voilà : je suis en France, et je vais écrire mon journal en français, comme une vraie Française.

Je suis arrivée à Paris il y a deux semaines (pardon, quinze jours !). Ça fait seulement une semaine (pardon, huit jours !) que je suis à Annecy, chez Marine et ses parents, et il s'est déjà passé beaucoup de choses, vraiment beaucoup. D'abord, j'ai eu un petit accident le jour de mon arrivée à Annecy et j'ai dû rester quelques jours à l'hôpital !

Mais le plus intéressant, c'est quand je suis revenue de l'hôpital, ce matin, alors je raconte ça au présent (c'est plus facile !).

Je rentre de l'hôpital. Marine (ma correspondante) et ses parents sont venus me chercher en voiture. Dans la voiture, Marine me raconte une histoire que je ne comprends pas très bien : Tom lui demande si elle veut l'aider à faire une enquête, elle lui répond qu'elle n'est pas sa secrétaire... Moi, je regarde la ville par la fenêtre. Marine m'explique que Tom veut écrire un roman, qu'il a choisi une famille de Toulouse, mais que cette famille vient de déménager pour Annecy. Et elle me demande si je trouve ça drôle, moi, de faire une enquête sur une famille d'Annecy. Je lui réponds que moi, je dois en faire une pour mon école : c'est notre professeur de français au Canada qui nous l'a demandé. Alors Marine me demande si je ne veux pas la faire sur la famille Delprat, et elle ajoute que, comme ça, je donnerai mes informations à Tom. Pourquoi pas ? Mais je veux savoir pourquoi Tom a choisi cette famille-là, et Marine m'explique qu'il la trouve bizarre. J'ai demandé : « Bizarre ? Pourquoi bizarre ? », mais Marine n'a pas répondu et son père a dit : « Bizarre ? Vous avez dit bizarre ? Comme c'est bizarre ! » et il a ri, mais je n'ai pas compris pourquoi. Marine non plus.

Dimanche 11 septembre

J'ai appris beaucoup de choses sur les Delprat. Je dois dire que j'ai eu vraiment de la chance. Mais je vais tout raconter depuis le début.

| ⇧ ▾ ⇩ ▾ | 📤 Répondre | 📤 Répondre à tous | 📧 | 🚩 | 🖨 | 📝 | 🗑 |

De : Karen Gallant : <fleurbleue@col.net>
Date : dimanche 11 septembre 2005
À : Thomas Brémond : <tom-breme@a-to-z.com>
Objet : Première enquête

▷ Pièces jointes :

Voilà. J'ai commencé à observer les D. et je t'envoie mes premières informations :
Adresse (ça fait une semaine) : 36, rue Dominique Dunand ; immeuble : 6 étages, eux : 2e.
Voiture encore immatriculée à Toulouse. Ce week-end, allés en Suisse, à Genève – 45 km. Alex : air pas content. Émilie : photographie beaucoup. M. Delprat : parle très peu. Mme Delprat : air gentil.
Tu te demandes comment je sais tout ça ? Ah ! Ah ! Mystère !
Fleur Bleue

Écoute !

⟶ Liaisons avec le pronom *en*

— *Vous_en_avez ? — Non je n'en_ai pas. — Non ? Vous n'en_avez pas ?*

— *Des oranges ? Je n'en_ai plus, j'en_attends.*

— *Il en_a très envie ! Il en_achète tous les jours.*

— *Il y en_a ? Non il n'y en_a pas.*

Je t'explique...

⟶ Le discours rapporté (ou discours indirect) : pour redire ce que les autres disent

• ***Dire, répondre, ajouter, expliquer, raconter que...*** (et aussi ***penser, savoir, croire***)

— *Il fait beau. — Qu'est-ce qu'il dit ? — Tu n'as pas entendu ? Il **dit qu'**il fait beau.*

— *Je suis contente ! → Elle **dit qu'**elle est contente.*

— *Le français, c'est facile et c'est notre langue préférée. → Elles **disent que** le français, c'est facile et elles **ajoutent que** c'est leur langue préférée.*

• ***Demander, vouloir savoir, se demander si...*** (pour une question)

— *Tu es contente ? — Qu'est-ce qu'il dit ? — Il **demande si** tu es contente.*

— *Il fait beau ? → Il **demande s'**il fait beau. (⚠ si + il → s'il)*

⟶ Les pronoms personnels indirects

• à moi	→ **me**	:	*Il **me** parle en français.*
	→ **m'**	:	*Il **m'**envoie un message.*
• à toi	→ **te**	:	*Qu'est-ce qu'il **te** dit ?*
	→ **t'**	:	*Je **t'**explique le problème.*
• à elle / à lui	→ **lui**	:	*Vous **lui** téléphonez ?*
• à nous	→ **nous**	:	*Il **nous** a tout appris.*
• à vous	→ **vous**	:	*Je **vous** donne ce livre.*
• à elles / à eux	→ **leur**	:	*Vous **leur** écrivez souvent ?*

⟶ Depuis = il y a... que... = ça fait... que...

J'apprends le français depuis un an.
= ***Il y a** un an **que** j'apprends le français.*
= ***Ça fait** un an **que** j'apprends le français.*

⚠ *depuis ≠ il y a*

*J'apprends le français **depuis** un an.*
*J'ai commencé à apprendre le français **il y a** un an.*

→ Quelques pluriels masculins particuliers

Un can**al** → des can**aux**

Un journ**al** → des journ**aux**

Un chev**al** → des chev**aux**

Un génér**al** → des génér**aux**

Un hôpit**al** → des hôpit**aux**

ALORS, ON DIT : "UN GÉNÉRAL À CHEVAL" ET "DES GÉNÉRAUX À..."

DES GÉNÉRAUX À PIED PARCE QU'IL N'Y A PAS ASSEZ DE CHEVAUX !

À toi de parler !

1 Qu'est-ce qu'il dit ? (à jouer à 3)

— Je commence mon enquête.

— Qu'est-ce qu'il / elle dit ?

— Il / elle dit qu'il / elle commence son enquête.

Je commence mon enquête → Je ne suis pas français. Thomas a été malade. On parle aussi anglais. Aurélie est mon amie. Nous partons demain. On ne restera pas ici longtemps...

2 Pardon ? (à jouer à 3)

— Je peux partir maintenant ?

— Pardon ? Qu'est-ce qu'il / elle dit ?

— Il / elle me demande s'il / si elle peut partir.

— Et qu'est-ce que tu lui réponds ?

— Qu'il / elle peut partir, bien sûr !

Je peux partir maintenant ?
→ Il pleut ? Vous êtes d'accord ? Tu viens avec moi ? Vous pouvez répéter ? Tu as encore oublié ton sac ? Elle est arrivée ?...

3 Pardon ? J'entends mal.

— Tu viens ?

— Pardon ? J'entends mal.

— Je te demande si tu viens.

— Tu me demandes si je viens ?

— Oui...

Tu viens ? → Il va pleuvoir. J'ai oublié mon pull. Je n'aime pas cette ville. Cette région vous plaît ? Votre travail est fini ?...

4 Ça fait seulement une minute ?

— Vous m'attendez depuis longtemps ?

— Non, je suis arrivé(e) il y a une minute.

— Ça fait seulement une minute que vous êtes arrivé(e) ?

— Oui.

Vous m'attendez / arriver
→ Tu le connais / rencontrer ; Vous parlez le français / commencer à l'apprendre ; Vous connaissez l'information / lire ; Vous êtes en vacances / partir...

il y a une minute → il y a un mois

5 À qui est-ce que tu parles ?

— À qui est-ce que tu parles ? À moi ?

— Oui, je te parle.

— Et qu'est-ce que tu me dis ?

À moi → à Julien ; à ses parents ; à nous ; à Émilie ; à tes amies ; à Kevin et Julie ; à elle, là...

6 Mais je lui parle !

— Pourquoi tu ne parles pas à Élodie ?

— Mais je lui parle !

— Ah bon ?

— Mais oui ! Je ne lui parle pas souvent, mais je lui parle !

parler à Élodie → téléphoner à tes parents ; écrire à votre oncle ; répondre aux enfants ; me répondre...

tu → vous, elle, ils...

Activités complémentaires : voir le *Cahier d'exercices* pp. 52-53

À toi de jouer !

1 De retour de l'hôpital.

Relisez le journal de Karen (p. 83) et jouez la conversation de Marine et Karen dans la voiture.

2 Le message de Karen.

Pour aller vite, Karen a écrit son courriel à Tom (p. 83) en « style télégraphique » (les phrases ne sont pas complètes).

Récrivez-le en « bon français » (faites des phrases complètes).

3 L'enquête de Fleur Bleue.

Comment Karen a-t-elle pu trouver les Delprat dans Annecy et comment sait-elle qu'ils sont allés à Genève ?

Imaginez que vous êtes Karen et que vous écrivez un courriel à Tom. Vous pouvez aussi continuer son journal.

4 Logo-rallye.

Faites une phrase (au discours indirect) où entrent les mots suivants (ordre ou désordre).

Exemple : s'amuser – écrire – Nice – faire beau
→ Elle nous écrit qu'il fait beau à Nice et qu'ils s'amusent bien là-bas.

a. mal – tête – fièvre – dire – ajouter → …

b. il y a – être – parler – dire – France – français → …

c. amis – téléphoner – dire – envoyer – carte postale → …

5 Dis-moi où tu voudrais habiter.

Vous devez habiter à Annecy. À deux, regardez le plan : quel quartier d'Annecy est-ce que vous choisissez ? Pourquoi ? Discutez.

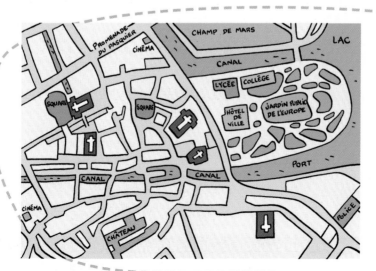

6 Ma ville.

 Présentez votre ville (la ville où vous habitez, ou la ville où vous voudriez habiter, ou une ville que vous imaginez, votre ville idéale par exemple) sur le modèle du devoir de Karen (p. 82).

7

Histoire drôle.

A. Écoutez l'histoire une fois et essayez de la raconter à votre voisin(e).

B. Écoutez-la encore puis jouez la conversation entre l'agent de police et la dame.

C. Écoutez-la encore puis écrivez-la.

NE DONNEZ PAS À MANGER AUX ANIMAUX DU ZOO.

8

Visitez Lyon !

A. Lisez ces extraits d'un guide touristique sur Lyon.

LYON est une ville touristique, historique (c'est l'ancienne capitale de la Gaule), industrielle.

Le centre de Lyon est situé entre deux fleuves, le Rhône et la Saône ; beaux magasins, magnifiques immeubles du XIXe siècle.

Dans la vieille ville : voir la cathédrale St-Jean, du XIIIe siècle, et la très belle place St-Jean (vieilles maisons).

Voir aussi le théâtre romain de Fourvière (43 avant J.-C.) et le musée des antiquités gallo-romaines sur la colline de Fourvière.

Le musée des Beaux-Arts (place des Terreaux) (10:30-18:00, fermé le mardi) présente une magnifique collection de peintures des XIXe et XXe siècles.

B. Jouez maintenant à deux une conversation entre un habitant de Lyon et un touriste qui visite la ville.

Les questions possibles du touriste :

— Qu'est-ce qui est intéressant à Lyon ? Il y a des musées ?

— Où est le centre-ville ?

— Le Rhône, qu'est-ce que c'est ?

— Il y a d'autres choses à voir ?

Autres activités : voir le *Cahier d'exercices* pp. 54-56

1 Émilie, Alex et leurs copains Loïc et Manon (au bord du lac)

L. : — Vous avez vu l'émission sur la nature et l'alimentation, hier soir à la *télé, sur TF1 ?

M. : — Oui, je l'ai vue. Moi, je regarde la télé tous les soirs.

L. : — Et comment tu l'as trouvée, l'émission ?

M. : — *Super ! Pourtant, d'habitude, je n'aime pas les programmes de TF1 : je les trouve ennuyeux ou stupides.

L. : — Tu veux dire qu'ils sont *nuls ? Bon, d'accord, mais qu'est-ce que tu as pensé exactement de l'émission ?

M. : — Tu veux mon avis ? *Eh ben, je pense qu'elle a bien montré comment on vit dans certains pays, et les problèmes des gens et de la nature. Et toi, Émilie ?

É. : — Oui, tu as raison, et en plus, quand on voit un documentaire comme ça, on a envie de s'occuper de la protection de l'environnement !

Semaine du 2 au 8 juin 2003
du développement
durable
Le développement durable,
c'est dès maintenant et pour longtemps

BILAN

A. : — Ah ? Tu trouves ? Moi, *j'aime pas ces émissions : c'est toujours du *blabla !

L. : — Ah non ! *J'suis pas d'accord avec toi : ces pays, c'est *vachement loin et *j'peux pas y aller. Alors, la télé, c'est mieux que rien, pour savoir ce qui s'y passe, non ?

A. : — Et pourquoi tu veux savoir ce qui s'y passe ? C'est loin !

L. : — Peut-être, mais l'environnement, ça nous concerne tous. Par exemple, il faut protéger les forêts, non ?

A. : — En tout cas, moi, je suis contre la télé : la meilleure émission de télé est toujours moins bonne que le plus mauvais film !

É. : — Hein ? Quoi ? Qu'est-ce que tu racontes ? T'es sérieux? *Ça va pas la tête ?

A. : — Oh, toi, tu es complètement idiote ! Tu ne comprends jamais rien !

M. : — Et toi, tu es toujours contre tout et tout le monde !

fait hier soir ?

2 **Émilie, Alex, Stéphane et Loïc**

É. : — Loïc, tu n'as pas envie de jouer aux cartes avec nous ?

L. : — Non, merci. *J'ai pas l'temps maintenant.

S. : — Pas le temps ! Tu n'as pas le temps de jouer avec tes meilleurs copains ? Allez ! Tu es trop sérieux. Ça fait du bien de jouer, de temps en temps, non ?

L. : — Si, si... Mais je vais au *ciné voir un film policier. Tu sais, au Rex...

S. : — Ah oui, « Le... », euh, attends, « Le... », ah, *zut, alors ! J'ai oublié le titre !

A. : — Je l'ai vu, moi, ce film. Il est complètement *débile ! Reste avec nous, va !

L. : — Non, je te dis. Je n'aime pas beaucoup les cartes, et en plus vous jouez mieux que moi.

É. : — Oh, Loïc, *t'es pas *marrant ! Mais, au fait, tu y vas seul, au cinéma ?

L. : — Hein ? Euh, non... J'y vais avec un copain.

É. : — Quel copain ?

L. : — *Cherche pas. Tu ne le connais pas. Tu ne l'as jamais vu.

É. : — Un copain, hein ?... Il ne s'appelle pas Manon, ton copain ? !

3 **Émilie et Loïc**

É. : — Dis, tu la regardes souvent, toi, la télé ?

L. : — Oui, enfin, ça dépend des programmes.

É. : — Mes parents disent que je la regarde trop. Je la regarde quand je m'ennuie, quand je ne sais pas quoi faire.

L. : — C'est ça le problème. Il faut la regarder quand c'est intéressant, pas quand on n'a rien à faire.

É. : — Qu'est-ce que tu es sérieux, toi !

Écoute !

Parler « jeune »	Parler correctement
J'suis pas d'accord !	*Je ne suis pas du tout de votre avis.*
'Sont nuls !	*Ils sont ennuyeux et stupides.*
Ça va pas, la tête ?	*Vous êtes vraiment stupide !*
Ça t'regarde pas !	*Cela ne vous concerne pas.*
Ça fait du bien, d'jouer, d'temps en temps, non ?	*Jouer est parfois très agréable, n'est-ce pas ?*

Je t'explique...

→ Toujours ≠ jamais

- *toujours, tout le temps*
  - *très souvent*
    - *souvent*
      - *de temps en temps*
        - *pas très souvent, peu souvent*
          - *parfois, quelquefois*
            - *rarement*
              - *jamais*

→ La fréquence

Tous les ans / chaque année (= 1 fois par an)

Tous les mois / chaque mois (= 1 fois par mois)

Tous les quinze jours (= 2 fois par mois)

Tous les 8 jours / toutes les semaines / chaque semaine

→ Quand...

*Je regarde la télé **quand** je ne sais pas quoi faire.*

***Quand** elle est arrivée, elle n'a pas dit bonjour.*

*— Tu as vu Loïc quand ? / Quand est-ce que tu as vu Loïc? — **Quand** je suis arrivé(e).*

→ Demander, donner son avis sur quelque chose

Demander	Positif	Négatif
Qu'est-ce que tu en penses ?	*C'est bien / excellent /*	*C'est mauvais.*
C'est comment, à ton avis ?	*formidable / fantastique /*	*Ce n'est pas très bien.*
	magnifique.	**Nul !*

⟶ Le superlatif des adjectifs

— Si vous ne vous rappelez pas bien, revoyez le superlatif p. 14.

— La place de l'adjectif :

a) presque tous les adjectifs sont après le nom :

Cette région est **intéressante**. → C'est la région **la plus intéressante** du pays.

b) quelques adjectifs sont avant le nom :

beau, bon, mauvais, grand, petit, vieux, jeune, joli, long, gros.

Cet élève est **jeune**. → C'est **le plus jeune** élève de la classe.

ou C'est l'élève **le plus jeune** de la classe.

⚠ ~~le plus bon~~ → le meilleur

⟶ D'accord / pas d'accord...

— Je suis d'accord (avec toi).	— Je ne suis pas d'accord (avec toi).
— C'est vrai / c'est exact / c'est juste.	— Ce n'est pas vrai / c'est (absolument) faux.
— Tu as raison.	— Tu as tort / tu te trompes.
— Je suis pour (ton idée / ta proposition).	— Je suis contre (ton idée / ta proposition).
— Je suis de ton avis.	— Je ne suis pas de ton avis.

👄 À toi de parler! 👄

❶ C'est le meilleur.

— J'ai bien aimé ce film : il est très bon.

— Oui, c'est le meilleur de l'année.

❙ **bien aimer** → adorer, détester

❙ **ce film** → ce livre, ce CD, cette histoire, cette émission, ces BD

❙ **bon** → mauvais, sympa, ennuyeux…

❷ Seulement quand on en a envie.

— Il ne faut pas boire tout le temps !

— Tu as raison, il faut boire de temps en temps.

— Oui, et seulement quand on a soif.

❙ **boire** → manger ; dormir ; faire du sport ; travailler ; parler…

❸ Elle vient quand ?

— Elle vient quand ?

— Mais elle est déjà venue !

— Mais quand ?

— Juste quand tu es parti.

❙ **elle vient / partir** → il arrive / téléphoner ; vous y allez / partir en voyage ; vous mangez / sortir ; elle téléphone / aller manger…

❙ **tu** → vous

❹ Pas d'accord !

— Je pense que c'est juste.

— Eh bien moi, je pense que c'est faux !

— Oh toi ! Tu n'es jamais d'accord !

— Si, de temps en temps ! Mais là, non !

❙ **c'est juste** → elle a raison ; c'est exact ; c'est faux ; ils ont tort ; elles se trompent ; tout le monde est pour…

❺ Encore le meilleur !

— C'est un bon restaurant ?

— Oui, c'est le meilleur restaurant de la région.

ANAÏS ? ELLE VIENT ? ATTENDS … ALLÔ, JULIEN ? ALLÔ ?

❙ **bon restaurant / région** → saison chaude / année ; copain gentil / classe ; longue route / région ; région industrielle / … ; langue compliquée / … ; histoire drôle / …. ; bonne émission / … ; grand sportif /…

Activités complémentaires : voir le *Cahier d'exercices* pp. 57-58

À toi de jouer !

1 Le soir...

A. Imaginez les réponses et jouez la conversation.

B. Continuez la conversation.

— Qu'est-ce que tu fais, le soir, en général ?
— ....
— Tu la regardes souvent ?
— ....
— Et les films policiers, qu'est-ce que en penses ?
— ....
— Ah ? Tu les détestes ? Pourquoi ?
— ....
— Et au *ciné, tu y vas quelquefois ?
— .... Et toi?

2 Sur le câble, ce soir...

A. Écoutez l'annonce des programmes.

B. Imaginez un titre de film et le début de l'histoire, et un titre de documentaire et son sujet.

Pour vous aider à imaginer des titres de film :

– nom : *La piscine, Les touristes, Le chat...*

– nom + adjectif : *Carrefour dangereux, Une femme française, Amérique interdite, Les temps modernes...*

– nom + de + nom : *La femme du voisin, Le garçon de mon quartier…*

– nom + préposition + nom : *Chambre avec vue, Une femme sans histoire...*

– phrase : *Ma famille est fantastique...*

– jeu de mot : *Chat va bien ?...*

C. Vous travaillez à la radio ou à la télévision et vous présentez les programmes de ce soir.

D. Tout le monde discute pour choisir le film et le documentaire qu'on regardera ce soir.

3 Quand...

 Continuez à raconter par écrit, seul ou à deux.

a) — Quand j'ai soif, je prends un café; quand je prends un café, je ne dors pas; quand je ne dors pas...

b) — Quand Marie travaille, je me repose. Quand je me repose, elle n'est pas contente et quand elle n'est pas contente, je...

c) – Quand on est malade, on...

d) – Quand il fait froid,...

4 Oh, moi, tu sais, le football...

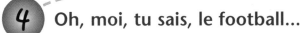 **Reconstituez la conversation, jouez-la puis écoutez-la.**

— À deux ?

— Ah ? c'est dommage. Regarder un match de football à deux, c'est un peu ennuyeux !

— Allô ? Quentin ?

— Anaïs ? Elle vient ? Attends... Allô ? Julien ? Allô !

— Ben, je n'ai pas très envie de regarder la télévision.

— Bof. Moi, tu sais, le football...

— Dis, ce soir il y a un match à la télévision.

— Oui, Anaïs va venir. Bon ben salut !

— Oui, je sais, oui.

— Oui, salut Julien !

— Tu ne veux pas ?

— Tu viens le regarder à la maison ?

5

À la télé ce soir.

À deux ou à quatre, choisissez votre / vos programme(s) et expliquez pourquoi.

TF1	FR2	FR3	CANAL +	FR5 / ARTE	M6
16.10 Ce que veulent les filles	18.00 Le meilleur du « pop »	18.10 Expression libre	17.00 Football Championnat de France	19.01 Le Forum des Européens	16.05 Série : Los Angeles
17.05 Sous le soleil	18.30 Un garçon, deux filles	18.15 Un livre, un jour	19.20 Journal	19.55 Arte info	17.00 Recherche nouvelle star
18.05 Des gens bien	18.55 Jeux de mots	18.20 Questions pour un champion	19.30 En aparté : L'invité politique	20.00 Le dessous des cartes	18.30 Série : Caméra café
19.45 Suivez mon regard	19.55 Sciences : Rayon X	18.50 Le 19-20 de l'info	20.30 7 jours au Groenland	20.15 documentaire : La maison de pierre	19.10 Turbo
19.50 L'œil du journaliste	19.56 Votre week-end	20.30 Jeu Euro +	21.00 Série : La vie ne tient qu'à un fil	20.40 L'aventure humaine : L'Atlantide révélée.	19.54 Info 6'
19.55 Météo et journal	20.00 Journal et météo	20.50 Téléfilm : L'affaire Martial	22.50 Le sport : Jour de foot	21.30 Magazine Métropolis	20.05 Plus vite que la musique
20.30 Film : Ils sont géniaux !	20.55 Le plus grand cabaret du monde – divertissement	22.35 Actualité : Faut pas rêver	0.00 Le journal du rock	22.25 Téléfilm : L'Einstein de l'amour	20.40 Magazine : Cinésix
23.10 Les experts	23.30 Tout le monde peut se tromper	23.45 FR3-soir et météo	0.15 Film : Pulsions sauvages	0.05 Jazz	20.50 Films : La trilogie du samedi
0.50 Les tubes de la semaine	1.40 Journal	0.10 Les feux de la rampe	1.55 Documentaire	1.05 Téléfilm : Ma terre	23.25 Série : L'ange noir
1.55 Amour d'humour	2.00 Un été très chaud	1.15 Documentaire : L'homme qui parle aux chevaux			0.15 Science-fiction : L'intégrale
2.30 Soixante ans de reportages		2.25 Ombre et lumière			1.49 Météo
					1.50 Les nuits de M6-musique

RENCONTRE AVEC UN HOMME QUI SAIT PARLER AUX CHEVAUX ♥ ♥ France 3 – 1 h 15

Vous avez peut-être vu le film américain *L'homme qui murmurait à l'oreille des chevaux*. Des hommes comme ça existent et réussissent à calmer les chevaux les plus sauvages. Sous nos yeux, un homme va amadouer un jeune cheval qu'il veut offrir à son fils comme cadeau d'anniversaire.

UN FILM DE SAISON : Un été très chaud ♥ France 2 – 2 h 00

Dans un petit village du Sud de la France, la patronne du café n'est pas d'accord avec les habitants du village : à son avis il faut protéger la forêt et arrêter de couper les arbres. Mais c'est le travail de la plupart des villageois...
♠ À 2 h : pourquoi si tard ?

6 Votre avis.

PF **Choisissez une émission du programme, imaginez que vous êtes journaliste, que vous avez vu cette émission et que vous la présentez. Donnez votre avis (♠ ou ♥) et expliquez pourquoi.**

Autres activités : voir le *Cahier d'exercices* pp. 59-61

Les Français et l'argent

Liberté • Égalité • Fraternité
RÉPUBLIQUE FRANÇAISE

La France est passée à l'euro le 1er janvier 2001, mais beaucoup de Français pensent et calculent encore en francs, l'ancienne monnaie, et il faudra beaucoup de temps avant que tous pensent seulement en euros. Le côté « pile » des pièces est le même pour tous les pays de l'Union européenne, et le côté « face » est national. Sur les petites pièces fabriquées en France, on peut voir une « Marianne ». Marianne est le symbole de la République française, et on peut la retrouver sur les documents officiels, par exemple sur les sites Internet officiels.

Sur les grosses pièces, on peut voir un hexagone et la devise traditionnelle de la République française : LIBERTÉ, ÉGALITÉ, FRATERNITÉ. Pourquoi un hexagone ? Regardez ces deux articles d'un dictionnaire.

> HEXAGONAL, ALE, AUX. *adj.* **1.** (géométrie) Qui a six angles et six côtés. **2.** Français, qui concerne la France (souvent péjoratif).
> HEXAGONE *n. m.* **1.** Polygone à 6 côtés. Hexagone régulier. **2.** L'Hexagone : la France métropolitaine (à cause de la forme de la carte de France).

Les Français n'aiment pas dire quel est leur salaire (l'argent qu'ils gagnent par leur travail), mais beaucoup aimeraient gagner plus. Il existe de très grandes différences de salaire en France, et les femmes sont souvent moins payées que les hommes. Pour les chômeurs (ceux qui n'ont pas de travail et en cherchent) la vie est difficile. Si beaucoup de Français pensent que « l'argent ne fait pas le bonheur », ils sont nombreux à rêver d'être millionnaires, et les jeux comme le Loto – où on peut gagner de très grosses sommes d'argent – ont un grand succès. Mais ce n'est pas comme « tirer à pile ou face » : on ne gagne pas une fois sur deux.

économiser = ne pas dépenser tout l'argent, en mettre un peu à la banque, par exemple.

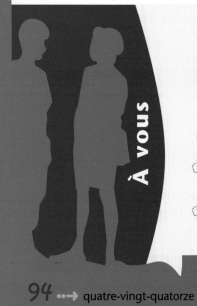

À vous

PF **1.** Faites une enquête dans votre classe : où va l'argent de poche ? (Combien économisent et pour quoi faire ? Qui dépense tout tout de suite, et pour acheter quoi ? Est-ce qu'il y a des différences entre les garçons et les filles ? etc.) Écrivez au moins douze questions, puis rédigez un petit texte sur les résultats de votre enquête.

ED **2.** Écrivez votre réponse pour le forum (70 mots minimum).

3. Discussion à trois sur : « Pour ou contre l'argent de poche après une bonne note ? »

4. Que pensez-vous de Xavier ?

Forum

Avez-vous de l'argent de poche ?

http://www.colleges.net/forum/argentdepoche.html

Aucune idée par Stéphane, 12 ans

Moi, je n'ai aucune idée de ce que j'ai parce que mes parents ne me donnent pas de l'argent de poche régulièrement. J'en demande un peu quand je veux aller au ciné avec les copains ou quand je veux m'offrir quelque chose. Une fois à papa et la suivante à maman… Comme ça, je peux avoir plus qu'avec de l'argent de poche régulier. Et je vais voir aussi ma grand-mère quand je veux avoir plus.   Répondre à ce message

Chance par Xavier, 11 ans

Moi, j'achète des billets de Tacotac ou d'autres loteries. Je dépense presque tout mon argent de poche comme ça. Je sais que c'est débile mais je peux gagner des millions un jour avec beaucoup de chance, et là, plus besoin d'argent de poche, je pourrai m'acheter ce que je veux !   Répondre à ce message

C'est pas sain ! par Zeyad 13 ans, Le Caire (Égypte)

C'est toujours la grande question : « Combien t'as d'argent de poche ? » Les ados (nous) ne pensent plus qu'à ça ! On ne peut pas penser à autre chose ? Il y a des choses plus importantes dans notre société et il y a beaucoup de gens qui ont des problèmes ! On est tous à demander à nos parents de nous donner encore et toujours plus. Tous ceux que je connais ne sont jamais contents et râlent !   Répondre à ce message

L'argent ne fait pas le bonheur par Guillaume, 13 ans

C'est pas une bonne question et l'argent ne fait pas le bonheur. Moi, on me donne de l'argent de poche une fois par mois (24 euros) et c'est mieux qu'une fois par semaine. Je dois faire attention pour avoir de l'argent pendant tout le mois. J'ai appris à économiser.   Répondre à ce message

La pièce pour les bonnes notes par Inès, Mantes-la-Jolie

Moi, je ne suis pas d'accord pour la pièce après une bonne note. C'est bien peut-être pour les meilleurs élèves, mais pour les autres, c'est débile. Et puis on va à l'école pour apprendre et pas pour gagner de l'argent ! Moi, je suis une bonne élève et j'ai toujours de bonnes notes. Mes parents ne peuvent pas me donner une pièce pour chaque bonne note, ils sont pas assez riches pour ça !   Répondre à ce message

Ça nous encourage par Charlotte, 13 ans

On a trop d'argent de poche. Je préfère l'argent après les bonnes notes car ça nous encourage à en avoir d'autres ! Je pense qu'il faut travailler pour avoir de l'argent. On peut aussi aider les parents à la maison, rendre des petits services, ou faire du baby-sitting, si on n'est pas bon élève ! Dans la vie, on ne gagne pas d'argent sans rien faire ! Je suis d'accord seulement pour de l'argent pour les anniversaires ou des fêtes spéciales. Là, c'est un cadeau, c'est différent.

Répondre à ce message

Charlotte exagère ! par Mélissa, Canada

Moi, j'aime bien avoir beaucoup d'argent de poche mais je le dépense très vite. C'est trop facile de dépenser de l'argent, ça part super vite et je n'ai jamais assez d'argent !
Au fait, j'ai entendu dire que les garçons reçoivent en général plus d'argent de poche que les filles, et que ceux qui reçoivent leur argent de poche une fois par semaine « gagnent » plus que ceux qui sont payés une seule fois par mois. Est-ce que c'est vrai ?

Répondre à ce message

Difficile par Antoine, 14 ans

C'est difficile de comparer l'argent qu'on nous donne : qu'est-ce que tu dois acheter avec ?

Répondre à ce message

De : Karen Gallant : <fleurbleue@col.net>
Date : mercredi 14 septembre 2005
À : Thomas Brémond : <tom-breme@a-to-z.com>
Objet : Enquête (suite)

▷ **Pièces jointes** : MD.jpg, Alex&É.jpg

Bon, je continue à observer les D., mais il me semble que ce
n'est utile ni pour ton roman, ni pour mon devoir. Et si toi,
en plus, tu ne réponds pas à mes messages, j'ai bien envie
d'arrêter tout ça. Voilà mes informations (photos jointes) :
Ce matin, M. D. sorti de chez lui 9 h avec petite valise
noire. Pris taxi.
9 h 30 : Mme D. sortie, petite valise noire aussi.
Pris voiture (n° 3524 TR 31).
A. & É. D. sortis un peu + tard avec mêmes
petites valises noires.
Allés café. Rencontré amis. Pas ouvert valises.
Qu'est-ce que c'est, ces valises ?
Ils les avaient déjà à Toulouse ?
C'est à cause d'elles que tu les trouvais
bizarres ?
Fleur Bleue

P. S. : Si tu ne réponds pas à ce message
avant la fin de la semaine, tchao, j'arrête tout !

De : Thomas Brémond : <tom-breme@a-to-z.com>
Date : mercredi 14 septembre 2005
À : Karen Gallant : <fleurbleue@col.net>
Objet : Trop génial !

▷ Pièces jointes :

Super ! Tes infos me servent beaucoup pour mon roman ! À Toulouse, M. et Mme D.
avaient des valises, mais ni Alex ni Émilie. Ces infos ne sont pas peut-être pas aussi
utiles pour toi que pour moi, dommage ! À +
Tom

P. S. : Il ne faut pas te mettre en colère si je ne te réponds pas toujours. Simplement
je me pose beaucoup de questions sur les D., je cherche autant que toi, et si je n'ai
pas de réponse, je ne dis rien !

rançais !

Mercredi 14 septembre

Aujourd'hui, j'ai passé toute la journée à surveiller les D., mais je me demande à quoi ça sert. Si ça continue comme ça, je ferai mon devoir sur la famille de Marine !

1er problème : j'ai suivi Alex et Émilie et je les ai écoutés parler avec leurs copains. Ce n'est pas facile de comprendre les jeunes Français ! Je m'en suis déjà rendu compte à l'école, mais quand on surveille quelqu'un, de loin, c'est encore plus difficile. Ils parlent très vite, beaucoup trop vite pour moi. Et ils ne prononcent pas tout ; par exemple, ils disent « Ch'ais pas » pour « Je ne sais pas » ou « T'en penses ? » pour « Qu'est-ce que tu en penses ? ». Et ils disent « nul » pour « stupide » ou « mauvais », « info » pour « information », « tchao » pour « au revoir » (Marine dit que c'est de l'italien) et « c'est trop », ça veut dire que c'est « très bien ». Parce que « trop » remplace « très » ou « beaucoup » (« c'est trop marrant », par exemple). Ils peuvent dire « j'aime trop » pour dire qu'ils aiment « beaucoup », mais leurs parents disent « J'aime assez »... Trop bizarres, ces Français !

Autre problème... Quand j'arrive au café, je vois Émilie, Alex et leurs amis à une table, à la terrasse. Je m'assois, le garçon arrive et...

Lui : — « Ça s'ra ?

Moi : — Pardon ? Qu'est-ce que ça veut dire "sasra?"

Lui : — Vous voulez bien consommer quelque chose, non ?

(Je vois bien qu'il n'est pas patient. En général, les Français ne sont pas patients !)

Moi : — Consommer ?

Lui : — Qu'est-ce que vous prendrez ?

Moi : — Ah oui, bien sûr ! Je voudrais un café.

Lui : — Déca ?

Moi : — Pardon ? Je n'ai pas bien compris...

Lui (il s'énerve) : — Un déca ? Vous voulez un café décaféiné ? Dé-ca-fé-i-né ?

Moi : — Euh, non, rien avec le café, merci. Ni sucre, ni...

Lui : — Ni eau, peut-être ? »

Et le garçon est parti, mais il ne m'a pas apporté de café !

Il me semble que les Français ne sont pas patients et qu'ils sont très ironiques !

Autre chose : j'ai remarqué que les clients, avant de payer, appelaient le serveur et lui disaient quelque chose comme « ch'voudoi » ou « j'voudoi ». Marine m'a expliqué : c'est « je vous dois... ? », c'est-à-dire « je vous dois combien ? »

Écoute !

Extrait de chanson : La Croisade des enfants *(Jacques Higelin)*

Refrain :

J'suis trop p'tit pour me prendre au sérieux,   *Assez grand pour affronter la vie*

Trop sérieux pour faire le jeu des grands   *Trop petit pour être malheureux...*

Je t'explique...

○···→ **Ne... ni... (ni...)**

A et B / A ou B ≠ **ne ... pas** A, ni B / **ni** A, **ni** B

— *Vous avez l'air triste et fatigué.*

— *Mais non ! Je **ne** suis **pas** triste, **ni** fatigué. / Je ne suis **ni** triste, **ni** fatigué.*

— *Vous êtes français ou belge ?*

— *Je **ne** suis **ni** français **ni** belge, je suis suisse.*

○···→ **La condition et la supposition : si + présent, présent ou futur**

— ***Si** tu viens en France, viens chez moi.*

— *On va prendre un taxi **si** tu es d'accord. — Non, **s'**il fait beau, on ira à pied.*

— *Je regarde la télé seulement **si** je n'ai pas un bon livre à lire.*

⚠️ si ̶i̶l̶ = s'il → **S'**il arrive, appelle-moi !   si ̶+̶ ̶f̶u̶t̶u̶r̶ → si + présent

○···→ **Beaucoup, trop, assez, très...**

• avec un nom : **beaucoup de, trop de, assez de**

— *Ça fait **beaucoup d'**argent.*
— *Il y a **trop de** sucre.*

• avec un verbe : **beaucoup, trop, pas assez**

— *Il mange **beaucoup**.*
— *Il fume **trop**.*
— *Il **ne** travaille **pas assez**.*

• avec un adjectif et un adverbe : **très**

— *Il est **très** grand.*
— *Il parle **très** vite.*

⚠️ très ̶t̶r̶o̶p̶ → beaucoup trop : *Il mange beaucoup trop.*

○···→ **Trop, trop peu, assez, pas assez pour...**

— *Il est **trop** jeune **pour** comprendre.*

— *Il est **assez** intelligent **pour** tout comprendre.*

— *Il va **trop** vite **pour** regarder le paysage. Ou : Le paysage n'est **pas assez** beau **pour** lui.*

— *Il a **trop peu** de temps pour pouvoir visiter la ville.*

⟶ *Aussi... que... / autant que... (=)*

- **aussi** + adjectif / adverbe **que**...
  *Il est **aussi** gourmand **que** moi.*
  *Et il mange **aussi** vite **que** moi.*

- verbe + **autant que**...
  *Il mange **autant que** moi.*
  *Il aime **autant** les bonbons **que** moi.*
  autant = ~~aussi beaucoup~~

⟶ *Dans un café ou un restaurant*

— *Qu'est-ce que je vous sers ?*
— *Vous désirez ?*
— *Vous avez choisi ?*
— *Ça fait 6,30 euros.*

— *Je voudrais...*
— *Vous avez... du thé froid ? du jus d'orange ?*
— *Je vous dois combien ?*
— *Je voudrais la note s'il vous plaît.*
— *Je pourrais voir la carte, s'il vous plaît ?*

À toi de parler !

1 Beaucoup trop !

— Votre chien est très gros, dites donc !
— Oui, il mange trop.

gros / manger → fatigué(e) / dormir ;
fatigué(e) / travailler ; sale (≠ propre) / laver ;
mauvais en maths / apprendre ses leçons ;
romantique / aller souvent au ciné ;
avoir mal aux yeux / regarder la télévision

votre chien → vous ; ils...

trop → pas assez

2 Attends ! On ne peut pas !

— On va au cinéma ?
— Attends ! On n'a pas d'argent !
— Demain alors?
— D'accord, si demain on a de
l'argent, on ira au cinéma.

aller au cinéma / avoir de l'argent
→ aller se promener en ville / avoir
le temps ; aller à la campagne /
avoir une voiture ; prendre un taxi /
avoir assez d'argent

3 Autant que toi !

— Il parle beaucoup ?
— Beaucoup, oui !
— Mais tu parles autant que lui !
— Ah ? Tu crois ?

parler beaucoup → courir vite ;
dormir beaucoup ; sortir souvent ; rentrer
tard ; lire beaucoup ; travailler lentement ;
comprendre vite ; nager souvent

autant → aussi vite ; aussi souvent...

4 Qu'est-ce que vous prenez ?

— Qu'est-ce que vous prenez ?
— Un café et une bière, s'il vous plaît.
— Oui, tout de suite. (...)
— Ça fait combien ?
— Alors, ça fait 1,50 € pour le café et
2,15 € pour la bière : 3,65 € en tout.

un café et une bière → un jus d'orange
et une eau gazeuse (1,95 €+ 1,40 €), un
chocolat chaud et un thé (1,35 € + 1,15 €)

5 Oui, mais...

— S'il fait froid, prends un pull !
— Oui, mais si je prends un pull, je
vais avoir trop chaud !

froid / pull / chaud → chaud / douche /
froid ; être malade / aller chez le médecin /
donner des médicaments ; fatigué /
se reposer / dormir

Activités complémentaires : voir le *Cahier d'exercices* pp. 62-63

À toi de
jouer !

1 Drôles de projets.

— S'il fait beau demain, on va
à la plage et on se baigne.
D'accord ?

— D'accord ! Mais s'il fait
froid, on ira faire du ski !

**Imaginez et jouez d'autres
conversations un peu bizarres...**

Z'ÊTES PAS
UN PEU
DINGUES ?

2 Les Français parlent parfois (beaucoup) trop vite...

PANIER,
PIANO.
PANIER,
PIANO.
PANIER,
PIANO.
PANIER,
PANO ...
EUH !

Jeu à jouer à quatre :

**A. Écrivez une longue phrase, puis
lisez-la vite aux autres (une seule fois).**

**B. Les autres doivent essayer de
répéter la phrase sans se tromper.
Celui qui y arrive marque un point.**

3 Au café.

A. La commande

**A apporte la carte (p. 99).
B, C et D commandent.**

⚠ A ne doit pas se tromper !

ALORS, POUR VOUS,
C'EST UN CAFÉ ?
NON ? EXCUSEZ-MOI,
VOUS AVEZ
COMMANDÉ DE
L'EAU ? NON ?

B. Après la commande

A apporte la commande et dit :

— Voilà, alors pour vous le
café, pour vous...

C. La note

**Un client demande la note, le
garçon ne l'apporte pas, mais dit
combien ça fait.**

— Alors... le café, ça fait... en
tout, ça fait...

⚠ Il ne doit pas se tromper !

Les clients paient.

4 Musique et logique.

Bernard aime autant la musique que Jean.
Et Jean est aussi fou de musique que Bernard.
Si Bernard va au concert, Jean y va lui aussi.
Mais si Jean ne va pas au concert,
Bernard n'y va pas.
Hier soir, Jean est allé au concert
de l'Orchestre national.
Est-ce que Bernard est allé à ce concert ?

**Expliquez votre réponse
à vos voisins, discutez.**

5 Si... (phrase sans fin).

Si je regarde un film policier, j'ai peur ;
si j'ai peur, je ne peux pas dormir ; si je
ne peux pas dormir, je lis ; si je lis, c'est
en général un roman policier...

**Continuez... et trouvez d'autres
phrases sur le même modèle.**

6 Théâtre : extrait de *La Leçon* d'Eugène Ionesco.

LE PROFESSEUR : — Comment dites-vous, par exemple,
en français : « les roses de ma grand-mère sont aussi
jaunes que mon grand-père qui était asiatique[1] » ? [...]

L'ÉLÈVE : — En français ?

LE PROFESSEUR : — En français. [...]

L'ÉLÈVE : — Eh bien, on dira, on dira, en français, je
crois : les roses... de ma... Comment dit-on « grand-
mère », en français ?

LE PROFESSEUR : — En français ? « Grand-mère ».

L'ÉLÈVE : — Les roses de ma grand-mère sont aussi
jaunes... En français, ça se dit « jaunes » ?

LE PROFESSEUR : — Oui, évidemment !

L'ÉLÈVE : — ... sont aussi jaunes que mon grand-père
quand il se mettait en colère.

LE PROFESSEUR : — Non ! ... qui était a...

L'ÉLÈVE : — ... siatique.

LE PROFESSEUR : — C'est cela ! [...]

**Écoutez la
scène, puis jouez-la
à deux.**

**Par groupes
de deux cherchez
et proposez une autre
phrase « bizarre »
et jouez la nouvelle
scène.**

[1] Asiatique : habitant de l'Asie

Autres activités : voir le *Cahier d'exercices* pp. 64-66

Les textos

REPORTAGE

PARLEZ-VOUS SMS ?

En France, on appelle un message écrit sur un téléphone portable un texto ou un SMS. Les jeunes dépensent de plus en plus d'argent pour s'envoyer des textos : les moins de vingt-cinq ans représentent 70 % du trafic des textos, et 61 % des adolescents propriétaires d'un portable envoient au moins cinq textos par jour.

<Komansa C cri ?>

Il n'est pas toujours facile de comprendre un texto écrit par les jeunes Français parce pour taper plus vite avec leurs deux pouces ou prendre moins de place, ils changent l'orthographe, utilisent des abréviations, et on ne reconnaît plus les mots habituels. Certaines abréviations sont classiques et utilisées aussi par tous les Français quand ils écrivent à la main sur du papier (sur une carte postale, par exemple). Voici quelques exemples de ces abréviations : tt (tout), bcp (beaucoup), tjs (toujours), qqch (quelque chose), pb (problème), slt (salut), vs (vous), qd (quand), stp (s'il te plaît), géo (géographie), ac (avec). Voici maintenant un exemple d'écriture phonétique : à la question <Ki C> (= « Qui c'est ? » en écriture phonétique), ils répondent <C moa> (= « C'est moi »). Le dialogue peut continuer ainsi : <ouesketé> (= « Où est-ce que tu es ? »), <o 6né a +> (= « Au cinéma. À plus tard. »).

Certains mélangent chiffres et lettres, en font un jeu et s'amusent beaucoup ainsi. Parmi les plus fréquents : <A12C4>, pour « à un de ces quatre », <Ri129> (« rien de neuf ») ou <ya Kelk1> (« Il y a quelqu'un ? »), <2M1> (« demain »).

Cette écriture SMS devient un langage codé, et les jeunes y sont tellement habitués qu'on peut retrouver un peu ce genre d'écriture dans certains forums d'ados sur Internet. Mais quand ils écrivent à papa-maman, les jeunes font attention, ils utilisent moins d'abréviations et respectent l'orthographe. Essayez maintenant de comprendre le texto qui suit, sur le problème des mini-jupes au collège : <le pb c ke tlm exagere. 1 foa ya une fille ke j'm pas ké arrivé a lecole ac 1 mini jupe. en fait c t pa mini, c t micro dc ya 1 prof ki lui a di « ta oublié de mettre ta jupe ? », L a compri.>

Des difficultés ? Alors voici la traduction en français standard : « Le problème, c'est que tout le monde exagère. Une fois, il y a une fille que je n'aime pas, qui est arrivée à l'école avec une mini-jupe. En fait, ce n'était pas mini, c'était micro. Donc, il y a un professeur qui lui a dit : " Tu as oublié de mettre ta jupe ? " Elle a compris ! »

à un de ces quatre = à bientôt, au revoir.

| A12C4 | Ri129 | ya Kelk1 | 2M1 |

À VOUS

PF **1.** Écrivez un petit texte « Les textos et moi ». (Est-ce que vous faites partie de « la génération du pouce » ? Vous envoyez combien de textos ? À qui ? Sur quels sujets, en général ? Avec des abréviations ? Est-ce que vous répondez tout de suite ? etc.)

2. Discussion à trois : Qu'est-ce que vous pensez des numéros cachés ?

ED **3.** Écrivez deux réponses pour le forum (de 70 mots minimum) : A. Vous pensez qu'on peut tout se dire. B. Vous pensez que non.

Forum

Est-ce qu'on peut tout se dire avec des textos ?

http://www.colleges.net/forum/toutsedireautexto.html

Pourquoi pas ? De : Lucie, 14 ans, France

Pas tout parce que la longueur du message est limitée. Moi, j'aime bien écrire, et avec les textos, je ne peux pas envoyer des messages longs comme je l'aime. Mais je trouve que c'est amusant de lire des textos avec une longue phrase car on se demande comment ça va se terminer. <u>Répondre à ce message</u>

Ah non ! De : Loïc, 13 ans, Cahors

Je ne supporte pas l'écriture sms. Les textos, c'est pratique pour préciser un rendez-vous, mais je pense qu'on ne peut pas dire à un garçon ou à une fille qu'on l'aime avec un texto. Ça, non. <u>Répondre à ce message</u>

La sécurité avant tout ! De : Bruno, 15 ans, Montpellier

Je suis d'accord avec toi mais il n'y a pas longtemps, j'ai déclaré à ma meilleure amie que je l'aimais... par texto ! Et j'étais sincère. Je trouve ça un peu idiot de ma part mais je préfère à distance, car en cas de problème, si elle dit non, je trouve que c'est plus simple d'oublier... Enfin c'est mon avis ! <u>Répondre à ce message</u>

Où est le romantisme ? De : Vincent, 16 ans

Mais c'est vraiment pas romantique pour une déclaration d'amour ! Mais c'est bien plus facile quand on veut quitter quelqu'un : ça évite les problèmes, les discussions ch[...] et les incompréhensions. <u>Répondre à ce message</u>

C'est pourtant pratique ! De : Coralie, 14 ans

Moi, j'ai un handicap : j'entends très mal. Pour moi, l'utilisation des textos me permet d'être en contact avec mes copines et copains. Pour me dire où on va se réunir pour une soirée ou proposer un cinéma ensemble. Mais pour raconter sa vie, je pense que c'est pas du tout adapté ! Rien de mieux que le contact naturel, normal. Et puis envoyer des textos, ça devient de plus en plus cher, malheureusement ! <u>Répondre à ce message</u>

Faut pas exagérer ! De : Valentin, 12 ans, Hyères

Ma petite sœur de 10 ans a un portable depuis 3 mois, elle l'a toujours en main et elle passe son temps à vérifier si elle n'a pas un message. Pour elle et ses copines, c'est : « Oh un texto, les amis, les amis ». Du style : « Ouais attends, y a quelqu'un qui m'appelle, j'ai trop trop d'amis, tu comprends », alors qu'en fait, c'est juste maman qui nous prévient qu'on mangera tout seuls ce soir ! Et puis, ils s'envoient des textos dans la cour de l'école au lieu de se parler ! C'est clair que beaucoup exagèrent avec les textos. Et les textos, ce n'est pas pour les sentiments, on ne peut pas tout se dire. <u>Répondre à ce message</u>

Vraiment pas sympa ! Vanessa, 13 ans, Genève

Je veux répondre à Vincent. Envoyer un texto pour quitter une fille et arrêter une relation, c'est peut-être plus facile, mais ce n'est pas gentil et c'est même dégu[...] ! Car la fille ne sait pas pourquoi tu ne veux plus être avec elle, elle va être blessée et elle peut imaginer des trucs négatifs sur elle-même ! Moi, ce que je déteste, ce sont ceux qui ont un numéro caché. Ils profitent souvent de leur numéro caché pour dire des choses méchantes aux autres. Ce sont des enfants qui n'ont pas de courage, et qui ont peur des autres et d'eux-mêmes, c'est tout ! <u>Répondre à ce message</u>

1 Au marché d'Annecy :
M. et Mme Delprat Émilie, Alex.

É. : — Dites, on prend des fruits ? Moi, j'adore les fruits !

M. D. : — Tu as vu les fraises, Catherine ? Elles sont magnifiques ! On en prend ?

Mme D. : — Si tu veux. Elles ne coûtent que 3 € le kilo. Il faut en profiter... On en prend un kilo.

A. : — Moi, je voudrais bien en goûter !

M. D. : — Attends d'être à la maison, Alex, enfin ! Il faut les laver ! Ah, si vous voulez de la viande, le bifteck est à 12 € et les côtelettes ne coûtent que 10 €. C'est moins cher qu'à la boucherie, et sûrement meilleur qu'au supermarché ! On en prend quatre ?

Mme D. : — Bonne idée. Et maintenant, on va acheter des légumes : des tomates, de la salade et des pommes de terre.

A. : — Moi, je déteste les légumes !

É. : — Tu as tort ! C'est excellent pour la santé.

A. : — Pfff ! Tu y crois toi, à ces histoires de régimes et à tous ces conseils pour mieux manger ?

Mangez mieux !

↓ Variez votre alimentation

- **pas trop de :**

- **un peu de :**

- **beaucoup de :**

Bon appétit !

ses ?

- 4 L lait
- 2 kg sucre
- œufs
- huile d'olive
- 1 petit morceau
  de fromage
- 250 g beurre
- ~~bonbons~~

2 À l'épicerie : M. Delprat, Émilie, Alex, l'épicier.

M. D. : — Qu'est-ce qu'on prend, Émilie ? Tu as la liste ?

É. : — Eh bien, euh, du lait, du sucre, des œufs, de l'huile... c'est ça : de l'huile d'olive. C'est tout, je pense.

M. D. : — S'il vous plaît, donnez-moi quatre litres de lait, 250 grammes de beurre, une bouteille d'huile d'olive et deux kilos de sucre.

L'épicier : — Voilà, monsieur. Et avec ça ?

É. : — Papa, je t'ai dit qu'on a aussi besoin d'œufs. Il vaut mieux en prendre deux douzaines, non ? Ah ! Et aussi deux bouteilles de Coca !

M. D. : — Bon, des œufs, d'accord, mais pas de Coca pour cette fois : tu en bois trop ! Il y a trop de sucre, là-dedans : ce n'est pas bon pour la santé, tout ce sucre !

A. : — Et ton régime ? Tu y penses ?

É. : — Arrête ! Tu sais bien que je ne fais pas de régime !

3 À la boulangerie :
Mme Delprat, Alex, la boulangère.

Boulangère : — Vous désirez ?

Mme D. : — Je voudrais une baguette et un gros pain, s'il vous plaît.

B. : — Nous avons du très bon pain de campagne aujourd'hui. Je vous le recommande !

Mme D. : — Ah, alors un gros pain de campagne, s'il vous plaît.

B. : — Voilà, madame, il est bien cuit comme vous l'aimez. Pas de gâteaux, aujourd'hui ?

A. : — Oh, dis, maman, on peut en prendre ? J'aime beaucoup les tartes aux fraises, moi !

Mme D. : — Bon, d'accord, j'en prends une petite pour toi et je prends un gros gâteau à la crème pour nous.

A. : — Et pourquoi pas de gâteau à la crème pour moi ?

Mme D. : — Mais parce que toi, tu as ta tarte aux fraises !

A. : — *Ouais, mais un morceau de gâteau, c'est plus gros qu'une tarte !

Mme D. : — Ah, Alex, vraiment, tu es insupportable !

Écoute !

→ Histoires drôles

Deux gâteaux dans le réfrigérateur ?
Dans la cuisine, une maman demande
à son petit garçon :
— Dis-moi Thomas, il y avait deux
gâteaux dans le réfrigérateur.
Tu peux me dire pourquoi il en
reste seulement un ?
— Il y en avait deux ? Je n'avais pas
vu le deuxième !

La vieille dame et le petit garçon
Chez le médecin, une vieille dame est
assise juste en face d'un jeune garçon
qui mange un chewing-gum. La vieille
dame lui dit :
— C'est très gentil de me parler, mais
je n'entends rien…

Je t'explique…

→ La nourriture

Des légumes : une pomme de terre, une carotte, de la salade…

Des fruits : une orange, du raisin, une banane, une pomme…

Du fromage, des œufs, du beurre, de la viande

⚠ un œuf [ɛ̃nœf], des œufs [dezø]

→ Les mesures

1 g = un gramme 100 g = cent grammes

1 kg, 2 kg = un kilo(gramme), deux kilos

1,5 kg = un kilo et demi / un kilo cinq

1 cL = un centilitre

0,5 L / 50 cL = un demi-litre / zéro litre cinq

1 L, 2 L = un litre, deux litres

> 100 g de chocolat
> 2 kilos d'oranges
> un kilo et demi de raisin
> 2 litres de lait
> 12 bouteilles d'eau

→ Le pronom « en »

- **Pour un complément introduit par : de**
(si vous ne vous rappelez pas tout, revoyez la page 68)
*J'en profite, il **en** a besoin / envie / peur…, il **en** vient, j'**en** suis sûr, il **en** est content.*

- **Pour un complément avec : beaucoup de, peu de, un peu de, trop de, assez de, ne… pas de, ne… jamais de, ne… plus de, moins de, plus de, un litre de, 500 g de…, une bouteille de, un paquet de…**
*Il y **en** a **beaucoup**. = Il y a **beaucoup de** fraises.*
*Il y **en** a **2 kg**. = Il y a **2 kg de** fraises.*

- **Pour un complément avec les articles : du, de la, de l', un, une, des**
*J'**en** ai. = J'ai **du** fromage. — J'**en** mange. = Je mange **de la** salade. — J'**en** bois. = Je bois
de l'eau. — J'**en** achète **une**. = J'achète **une** salade. — J'**en** prends. = Je prends **des** gâteaux.*

◉⟶ Le pronom « y »

- **Pour un complément introduit par : à**

= à + nom de lieu : *J'y vais. = Je vais à Lyon.*

= à + nom de chose : *J'y crois. = Je crois à cette histoire.*

= à + infinitif : *J'y pense. = Je pense à acheter du pain. (= Je n'oublie pas ça.)*

⚠ à + nom de personne : *Je pense **à lui / à elle(s) / à eux**.*

- **Pour un complément de lieu (dans, chez, sur, en face...)**

— *Elle est sur la table ? — Oui, elle y est.*

◉⟶ Ne... que = seulement

*Ça **ne** coûte **que** 10 euros. = Ça coûte **seulement** 10 euros.*

*Je **ne** regarde la télé **que** le soir. = Je regarde la télé **seulement** le soir.*

◉⟶ Quand quelqu'un vous agace

Vraiment, tu es / vous êtes terrible / pénible / insupportable / agaçant !

Mais enfin... ! Assez, à la fin ! Ça suffit maintenant ! Tu m'agaces ! Oh, arrête / arrêtez !

🗣 À toi de parler! 🗣

❶ Vous aimez ça ?

— Vous aimez les gâteaux ?

— Oui, j'aime ça et j'en veux trois.

— Moi aussi j'en veux trois.

aimer les gâteaux / vouloir trois
→ aimer les fruits / manger 3 kg par semaine ; aimer le Coca / boire jamais ; aimer le café / prendre tous les matins et après les repas ; aimer la viande / manger jamais ; aimer le poisson / prendre une fois par jour

❷ À l'épicerie

— Il y en a combien, là ?

— Attendez... il y en a quatre kilos huit cent cinquante.

— Bon, mettez-m'en encore cent cinquante grammes.

— Alors ça fait cinq kilos, voilà !

4,850 kg → 950 g ; 1,900 kg ; 2,920 kg ; 800g ; 480 g ; 1,750 kg

❸ Combien ?

— Il coûte combien ?

— Trois euros seulement.

— Quoi ? Il ne coûte que trois euros ?

Il coûte combien ? → Elle a quel âge ? Il y a combien d'habitants ? Il y a combien d'étages ? Tu as combien de CD ? Tu prends combien de sucres ? Il veut combien d'eau ? Ça fait combien ?

❹ Statistiques

— Les Français boivent du lait ?

— Oui, ils en boivent beaucoup.

— Ah bon ? Il en boivent combien exactement ?

— Regarde : ils en boivent 48 litres par an.

du lait → continuez du n° 2 à 7

QU'EST-CE QUE LES FRANÇAIS BOIVENT (par an) ?	
1. du lait :	48 L
2. de l'eau minérale :	94 L
3. du café :	71 L
4. du vin rouge :	54 L
5. de la bière :	39 L
6. du vin blanc :	14 L
7. du thé :	3 L

❺ J'en suis sûr(e)

— Il y va maintenant, tu crois ?

— Où ?

— Ben, au supermarché !

— Oui, oui, il y va maintenant, j'en suis sûr(e) !

aller maintenant au supermarché
→ boire 48 litres de lait par an ; aller souvent au cinéma ; boire du café tous les matins ; penser encore à son vieux lycée ; manger du fromage tous les matins ; acheter cinq journaux tous les jours

il → ils ; elle ; elles

Activités complémentaires : voir le *Cahier d'exercices* pp. 67-68

À toi de **jouer !**

Vous avez des fraises ?

1 **Logo-rallye.**

Faites une phrase où entrent les mots suivants (ordre ou désordre).

Exemple : en – an – boire → En général, ils en boivent 20 litres par an.

a. recommander – plutôt – goûter – prendre

b. vraiment – très – mais – plus

c. faim – avoir – assez – pas – encore – seulement

2

Qu'est-ce qui s'est passé avant ?

A. À partir de chaque dessin, racontez (d'abord par écrit) ce qui s'est passé <u>avant</u>.

B. Puis, à partir de votre scénario, jouez une conversation possible.

3

Proverbes et expressions.

a. Manger comme quatre.

b. L'appétit vient en mangeant.

c. Qui a bu boira.

d. Donner un œuf pour avoir un bœuf.

e. Qui dort dîne.

f. Qui vole un œuf vole un bœuf.

Écrivez la même chose avec d'autres mots, puis discutez. Y a-t-il des proverbes semblables dans votre langue ?

4 Au supermarché.

Deux personnes ont fait des courses au supermarché. Voici leur liste. Au supermarché, il y avait des promotions, mais elles ont aussi acheté autre chose. La première a payé 9,31 € et la deuxième 16,30 €.

Devinez ce qu'elles ont acheté.
Discutez à plusieurs en regardant les promotions de Supmar.

Imaginez la conversation de ces personnes quand elles rentrent chez elles :

— Regarde ce que j'ai acheté !

— Mais pourquoi ?

12 œufs
1 litre de lait
2 kg oranges
Chocolat
Shampooing

1 salade
1 kg tomates
1 kg pommes
Gâteau
Gros sel

Gâteau.................0,48
Gros sel................0,18
TOTAL.................9,31

SUPMAR

Chocolat................1,06
Shampooing..........0,39
TOTAL.................16,30

SUPMAR

PROMOTIONS !

CETTE SEMAINE
SUPMAR VOUS PROPOSE

Café sélection Supmar
Le paquet de 250 g..................1,90 €

Œufs sélectionnés
La douzaine.........................2,40 €

Côtelettes de porc 1er choix
Le kilo ....4,95 €

Bifteck extra
Le kilo ....5,30 €

Lait entier
Le litre.............................0,89 €

Oranges d'Espagne
Le sac de 2 kilos ....3,90 €

Pommes d'Argentine
Le kilo ....2,70 €

Bonbons Méga-fête assortis
le paquet d'1 kg....................7,66 €

Tomates d'Italie
Le kilo ....1,55 €

Pommes de terre nouvelles
Le kilo ....0,45 €

Salade de printemps
La pièce.............................0,50 €

Beurre extra
Le kilo ....6,20 €

Fromage de Hollande
Le kilo ....6,75 €

Coca-cola
La bouteille d'1,5 L ....0,71 €

Bière d'Alsace
Le lot de 6 boîtes de 33 cL ....2,65 €

Huile d'olive vierge extra d'Italie
La bouteille de 75 cL ....4,55 €

SUPMAR : 600 magasins en France, à votre service !

Autres activités : voir le *Cahier d'exercices* pp. 69-70

De : Karen Gallant : <fleurbleue@col.net>
Date : Samedi 17 septembre 2005
À : Thomas Brémond : <tom-breme@a-to-z.com>
Objet : Du nouveau sur les Delprat

Pièces jointes : Montréal.jpg, Ariane.jpg, Orléans.jpg

J'ai obtenu des renseignements sur les D., je ne te dirai pas comment...

D'abord, j'ai fait une fiche sur M. D. (comme une enquêteuse professionnelle !)

Nom : DELPRAT	Né le : 12-08-1960	Situation de famille : marié, 2 enfants
Prénom : Jacques	À : Orléans (France)	Adresse : 36 rue D. Dunand
Nationalité : française	Profession : représentant	74000 Annecy (France)
		Téléphone : 04 50 23 76 98

Ensuite, je peux te raconter sa vie :

Jacques D. est né le 12 août 1960 à Orléans. À 18 ans, il est parti pour Paris où il est resté 7 ans et où il a rencontré Catherine. Il y a fait ses études (sans doute de chimie ou d'électronique). Il s'est marié le 17 avril 1985 avec Catherine (née Dupont). Ils sont partis en voyage le lendemain 18 avril pour Montréal. On leur a proposé du travail, et il y sont restés un an. Un an après, ils ont déménagé pour la Guyane (à Kourou) où Catherine D. a commencé à travailler comme professeur d'anglais à mi-temps dans un collège, Jacques travaillait là où on lance la fusée Ariane. Émilie est née à Kourou en 1988, Alex à Bruxelles, deux ans plus tard (en 1990). L'année suivante, toute la famille s'est installée à Genève. Il paraît que tout le monde garde un très bon souvenir du séjour à Genève qui a duré huit ans. Ensuite, les D. sont allés habiter à Strasbourg, puis à Paris, puis à Toulouse.

De : Thomas Brémond : <tom-breme@a-to-z.com>
Date : Samedi 17 septembre 2005
À : Karen Gallant : <fleurbleue@col.net>
Objet : Mes félicitations à Fleur Bleue !

▷ Pièces jointes :

Formidable ! Comment tu as fait ? Tu as obtenu plus de renseignements en quelques jours que moi en un an ! Et en plus, tu as des photos ! Tu m'épates ! Bravo !

Je trouvais les D. bizarres, maintenant je les trouve mystérieux. Pourquoi ont-ils déménagé si souvent ? Pour le travail de Jacques ? Je le suppose mais je n'en suis pas vraiment sûr. Kourou où on construit des fusées européennes, Toulouse où on construit des avions européens, Bruxelles où se trouve le gouvernement européen... Strasbourg où se trouve le Parlement européen, c'est peut-être une coïncidence, mais je ne le crois pas.

Et pourquoi sont-ils retournés à Genève le lendemain de leur arrivée à Annecy ? Et pourquoi M. D. est-il allé à Paris juste la veille de son départ pour Annecy ? C'est un hasard ? J'en doute !

Dimanche 18 septembre
Tom m'a félicitée ! Lui qui d'habitude ne répond pas, il écrit qu'il a été épaté ! (J'ai regardé épater sur le dictionnaire, ça veut dire étonner très fort).

De : Karen Gallant : <fleurbleue@col.net>
Date : Dimanche 18 septembre 2005
À : Thomas Brémond : <tom-breme@a-to-z.com>
Objet : Re: Mes félicitations à Fleur Bleue !

▷ Pièces jointes :

Merci pour tes félicitations (Fleur Bleue en rougit), mais pourquoi est-ce que tu es si étonné ? Tu ne sais pas que les filles sont toujours plus fortes que les garçons dans les situations où il faut se débrouiller ? D'ailleurs, tu as choisi une fille – tu as d'abord demandé à Marine – pas un garçon pour t'aider... Je continue à chercher des renseignements.

ÉCOUTE !

➜ Voyages à la nage

Vous allez au Portugal ? À cheval !
Au Luxembourg ou à Singapour ? Faites le tour !
Au Lesotho ou à Macao ? À vélo !

En Iran ou au Pakistan ? Lentement !
Au Liban ou au Soudan ? Rapidement !
À Bruxelles ou aux Seychelles ? Avec elle !

Je t'explique...

➜ Pour dire où

- **Les pays :** « en » et « au » (parfois « à »)

le → au	la / l' → en	les → aux
le Portugal → au Portugal	*la Grèce → en Grèce*	*les Pays-Bas → aux Pays-Bas*
(au Chili, au Luxembourg...)	*(en Espagne, en Italie...)*	*(aux Philippines, aux États-Unis...)*

⚠ **pour certains pays** (souvent des îles) : pas d'article → « à »

Cuba → à Cuba (à Malte, à Chypre, à Macao, à Singapour, à Tahiti, ...)

- **Les villes :** « à » – *Il va à Orléans. – Je vais à Bruxelles. – J'habite à Strasbourg.*

- **Les continents :** l' → « en » *En Afrique, en Amérique, en Asie, en Europe, en Océanie.*

➜ Pour expliquer « quand » quand on raconte

Le journal de mon arrière-grand-père :

Le 10 juin 1925

Aujourd'hui, je me marie. Je vais partir avec ma femme en voyage demain, et nous allons revenir dans une semaine.

Je raconte maintenant :

C'était le 10 juin 1925. Ce jour-là, mon arrière-grand-père s'est marié. Il est parti en voyage le lendemain et ils sont revenus une semaine après.

aujourd'hui → ce jour-là, ce matin → ce matin-là, ce soir → ce soir-là
maintenant → à ce moment-là, à cette époque

hier → la veille	demain → le lendemain
il y a trois jours → trois jours avant	dans deux jours → deux jours après
la semaine dernière → la semaine précédente	la semaine prochaine → la semaine suivante
il y a cinq ans → cinq ans avant	dans deux ans → deux ans après

➜ Commencer à, continuer à, arrêter de

J'ai commencé à jouer du piano à 9 ans.
Aujourd'hui, je continue à en jouer.
Je ne vais jamais arrêter d'en jouer.

▸ *Quand on est « sûr » ou « pas sûr », quand on suppose*

Ma tante est peut-être arrivée...   *Je n'en sais rien, mais je le suppose. (–)*

Ma tante est sans doute arrivée...   *Je n'en suis pas sûr, mais je le crois. (+)*

Il paraît que ma tante est arrivée...   *J'en suis presque sûr : c'est probable. (++)*

Ma tante est arrivée.   *J'en suis sûr (elle est bien là) : c'est certain. (+++)*

Évidemment ! (+) Bien sûr ! (+) Peut-être... (–) Pas sûr... (–) Ça m'étonnerait ! (–) J'en doute ! (–)

▸ *Le pronom relatif « où »*

*Je retourne dans cette ville, j'y suis né. → Je retourne dans la ville **où** je suis né.*

*Je l'ai sans doute oublié là **où** j'ai mangé à midi (à l'endroit **où** j'ai mangé).*

▸ *Pour féliciter*

Bravo ! Je te / vous félicite ! (Mes) félicitations !

À toi de parler !

1 À l'aéroport

— Vous allez où, vous ?

— Au Canada. Et vous ?

— Moi, en Angleterre.

— Où ça en Angleterre ?

— À Birmingham.

— Ah ! C'est là où je suis né !

| **Canada / Angleterre →**
Luxembourg / Italie ; Allemagne / Pays-Bas ;
Seychelles / États-Unis ; Brésil / Argentine ;
Venezuela / Australie

2 Je crois

— Il est représentant, je crois.

— Oui, moi aussi, je crois qu'il est
   représentant.

| **Il est représentant, je crois.** → Elle est
photographe, je pense. Ils sont suisses, je
suppose. Il est japonais, je suis sûr(e). Elle
n'a que 20 ans, je suis certain(e).

3 Je connais un village...

— Je connais un village, personne n'y
   travaille.

— Un village où personne ne travaille ?
   C'est possible, ça ?

| **un village, personne n'y travaille**
→ un restaurant pas cher, on y mange
très bien ; une maison, trois familles y
habitent ; une école, tous les élèves sont
toujours contents ; une ville, les bus
sont gratuits...

**4 Excusez-moi,
je ne parle
pas bien français...**

— Excusez-moi, je ne parle pas bien
   français... Qu'est-ce que c'est, une
   boucherie ?

— Une boucherie, c'est un magasin
   où on achète de la viande.

— Ah ! On achète de la viande dans
   une boucherie ?

| **boucherie** → boulangerie ; supermarché ;
café ; cuisine ; restaurant ; ambulance ;
chambre ; bureau ; garage ; discothèque ;
grenier ; piscine ; poste ; station de métro ;
université...

| **magasin** → endroit ; voiture ; pièce...

| **acheter** → boire ; manger ; mettre ;
étudier ; danser ; transporter ; prendre...

ATTENTION,
LE VOILÀ
ENCORE LUI, AVEC
SES QUESTIONS.

Activités complémentaires : voir le *Cahier d'exercices* pp. 71-72

À toi de **jouer !**

1 C'est sûr ou pas sûr ?

Écoutez les enregistrements et mettez une croix (X) :

	1	2	3	4	5	6	7	8	9	10
sûr										
pas sûr										

2

C'est vraiment sûr ?

Écoutez les enregistrements et mettez une croix (X) :
c'est sûr (+) / pas très sûr (?) / pas sûr du tout (? ?) :

	+	?	? ?
1			
2			
3			
4			
5			
6			

3

Le journal de Gaël.

– 27 juin 1999 : j'ai fini de passer le baccalauréat

– 28 juin : je pars en vacances au Portugal
(1res vacances avec des copains, sans les parents !)

– 29 juin : nous arrivons à Lisbonne en train

– une semaine à Lisbonne pour visiter –
camping près de Lisbonne

– pendant 2 semaines : à pied, visite du sud du Portugal

– 29 juillet : retour en train à Lyon

– août : travail dans un café (garçon de café)

– septembre : commencé mes études à Grenoble

PF **Racontez la vie de Gaël et imaginez la suite.**

Il est parti en vacances le 28 juillet 1999 au Portugal...

4

Difficile à croire !

Paul est né le 1er avril 1990. À 2 ans, il commence à aller à l'école. L'année suivante, il arrête ses études et écrit trois romans et un essai philosophique. Quatre ans après, il reçoit le prix Nobel... À 9 ans, il s'intéresse aux mathématiques et il devient professeur à l'université. Il commence à l'université le 28 septembre 1999, mais le lendemain, il...

Continuez !

5 Biographie.

 Racontez sa vie.

Brel (Jacques)
(Bruxelles, 1929 – Bobigny, 1978) Chanteur auteur compositeur belge. Écrit de nombreuses chansons : *Les Vieux, Ne me quitte pas, Ces Gens-là, Les Bourgeois, Les Bonbons*. Acteur de cinéma, il réalise aussi quelques films. À la fin de sa vie, arrête de chanter pour voyager en bateau.

6 **Questions de culture générale.**

- Il y a combien d'habitants à Paris ?
- Quelle langue est-ce qu'on parle aux Pays-Bas ?
- Il y a combien de kilomètres de Rome à Londres ?

 A. A répond mais n'est pas sûr(e), B est sûr(e).

B. Trouvez d'autres questions et posez-les.

7 **Voyages.**

Voici votre album-photos.
Vous êtes allé(e) dans ces pays.

 Commentez ces photos avec vos amis qui vous posent des questions.

Autres activités : voir le *Cahier d'exercices* pp. 73-75

Les accidents en France

Statistiques pour 2000 et 2001

La France est l'un des pays d'Europe où il est le plus dangereux de circuler sur la route. Il y a plus de 7 000 morts par an et deux fois plus de blessés. Il y a en France 144 tués pour un million d'habitants contre 92 en Allemagne, 88 aux Pays-Bas, 60 en Suède, 58 au Royaume-Uni et la moyenne pour l'UE est de 111 morts.

Les accidents de la circulation sont la première cause de mortalité chez les jeunes (40 % des décès[1] des 15-19 ans et 37 % chez les 20-24 ans), surtout chez les garçons, qui en sont trois fois plus victimes que les filles. « Sur leur vélomoteur pour aller au collège, sur leur scooter devant le lycée, les garçons font trop souvent les malins : ils *friment[2] et prennent des risques. »

Ces statistiques sont dramatiques et il faut que ça change. Le Premier ministre a demandé aux jeunes d'être plus prudents. « Je dis aux jeunes : la fête, c'est la vie. Ta vie, elle est importante pour toi, elle est importante pour tes proches, pour tes amis, pour ta famille. Alors protège-la. »

Les mesures

– Toutes les écoles doivent organiser une « semaine de la sécurité sur la route ».
– Au collège, depuis le 1er janvier 2004, le « brevet de sécurité routière » (une attestation de connaissances complétée par trois heures de conduite sur route) est obligatoire pour tous les jeunes de 14 à 16 ans qui veulent conduire un vélomoteur. Normalement, on passe ce brevet en fin de cinquième.
– En fin de classe de troisième, les élèves doivent avoir une « attestation scolaire de sécurité routière » (ASSR) : un petit examen après des cours théoriques. Cette attestation sera obligatoire pour s'inscrire au permis de conduire, après.
– On peut passer le permis de conduire à partir de 18 ans. Ce permis (examen théorique sur le code de la route + examen pratique de conduite) est maintenant plus difficile qu'avant.

[1] un décès = une mort.

[2] *frimer = faire le malin, parader.

dépasser = passer devant une autre voiture.

Une amende est donnée par la police et il faut la payer.

À vous

1. Est-ce qu'on apprend quelque chose sur la sécurité routière dans les écoles de votre pays ? Expliquez.

PF 2. Test. Écrivez un questionnaire pour trouver les futurs conducteurs à risque. (Exemple : Aimez-vous les scènes de poursuite de voiture dans les films ? Achetez-vous ou lisez-vous des revues sur les autos ? Quelle voiture avez-vous envie d'avoir ? etc.)

3. Écrivez une réponse pour le forum (70 mots minimum).

Forum

Les jeunes et les accidents de la route

http://www.colleges.net/forum/vitessesurlaroute.html

Vive la vitesse ! Sylvain, 16 ans

Ils ont beaucoup d'accidents parce que les jeunes conduisent trop vite bien sûr, mais mon problème est que j'aime la vitesse. A 130 km/h sur autoroute, on s'ennuie un peu, et ça sert à quoi d'avoir une voiture, si tu peux jamais dépasser et appuyer sur l'accélérateur ? La vitesse sur l'autoroute, je la trouve pas si dangereuse que ça. Je pense que la vitesse maxi sur autoroute devrait être de 160 à la place de 130 km/h !   Répondre à ce message

Et l'alcool ? Mélanie, 15 ans, Toulouse

Bonjour. Il y a trop de morts sur les routes en France. C'est dégu[...] ! Mais la vitesse n'est pas la seule responsable de tous les accidents. C'est le comportement des jeunes Français qui est à changer : les gens qui boivent de l'alcool avant de conduire, ceux qui sont trop fatigués mais qui conduisent, et ceux qui font les malins au volant.   Répondre à ce message

Et le téléphone ? Raoul, 13 ans, France

Mélanie, tu oublies tous les jeunes qui téléphonent en conduisant ou qui envoient des textos ! Ceux-là sont des criminels et 35 euros d'amende, c'est peu pour une conduite si peu responsable ! Si on veut téléphoner alors on s'arrête sur un parking ! Il y a déjà assez de morts sur les routes, y a pas besoin des victimes du portable en plus !   Répondre à ce message

La vitesse, c'est cool ! Chloé, 11 ans 1/2, Évry

Il y a trop d'accidents, c'est vrai, mais c'est hot la vitesse. J'adore les tunings et les voitures rapides, et la vitesse donc. Beaucoup de personnes adorent la vitesse, pas seulement les jeunes. Mais il faut pas faire de courses ni faire son malin ! Il faut avoir des limites ! Allez, je vais surfer sur la toile, sans dépasser les limites de vitesse !   Répondre à ce message

Moi, ça me fait peur ! Anne, 14 ans, Orléans

Salut tout le monde ! Mon frère a 19 ans, et il roule à 180 km/h sur l'autoroute et souvent à 80 km/h en ville et j'ai vraiment peur lorsque je suis en voiture avec lui, parce que lui, il croit être un bon pilote et ne voit pas tous les dangers. Ce qui tue sur les routes, ce n'est pas la vitesse, c'est les conducteurs (jeunes et moins jeunes) qui croient qu'ils savent bien conduire.   Répondre à ce message

Ton frère est un inconscient ! Paul, 15 ans, Gap

Anne, ton frère est un inconscient ! Tu dois refuser de monter en voiture avec lui ! La France est le pays d'Europe qui compte le plus de morts sur ses routes... Ceux qui exagèrent répondent : « Et les p'tits vieux alors, qui roulent à 20 km/h, c'est pas mieux ! » Eh bien ceux-là devraient se renseigner davantage, car en France ce sont les jeunes qui sont statistiquement les plus concernés par les accidents mortels. Pourquoi ? À cause de la vitesse. Parce qu'ils sont jeunes et c[...]. Parce qu'ils veulent frimer.   Répondre à ce message

Et les handicapés ? Philippe, 14 ans

Il n'y a pas que les accidents mortels. Dans ma classe, j'ai un copain qui a eu un accident en vélomoteur. Il est resté deux mois à l'hôpital, et maintenant il est handicapé pour le reste de sa vie.   Répondre à ce message

Mon échange scolaire

Je m'appelle Ingrid, je suis norvégienne et je viens de faire un échange scolaire avec Martine, une jeune Française qui a le même âge que moi (16 ans et demi). Je vais présenter l'échange que j'ai fait. D'abord, je présente la ville de Hyères, quelques aspects de la vie française et de l'école française, qui m'ont surprise. À la fin, je fais un peu de publicité en répondant à la question : « Pourquoi faire un échange scolaire ? »

Hyères et sa région

Hyères se trouve sur la Côte d'Azur, dans le Var (83), pas loin de Toulon. C'est la ville la plus au sud de la France, et on y trouve de nombreux palmiers, un port pour les bateaux et 20 km de plages de sable. Il y a 60 000 habitants (les Hyérois) qui habitent dans la vieille ville ou autour. Dans la vieille ville, on peut visiter le château et quelques vieilles églises (pour la vieille ville, voir http://www.culture.fr/culture/inventai/itiinv/hyeres/fr/hyer.htm). De jolis villages se trouvent près de Hyères (voir les photos sur http://www.ville-hyeres.fr/). Et puis il y a les trois îles qui sont super, avec de très jolies plages et peu de maisons nouvelles : Porquerolles (la plus grande), Port Cros qui est un parc national et l'île du Levant avec ses naturistes. On est allés souvent s'y promener à vélo et à pied, on s'y est baignés, c'était un paradis ! (pour les îles, voir http://www.provenceweb.fr/f/var/hyeres/hyeres.htm). Vous pourrez regarder de nombreuses photos sur ces trois sites Internet, mais je mets aussi quelques photos ici !

Les repas

L'importance des repas et de la nourriture est la première chose qui m'a étonnée. La journée française comprend trois repas. Elle commence par le petit déjeuner, qui se mange presque comme en Norvège, des cornflakes, du Nutella ou de la confiture... Mais déjà au petit déjeuner on mange quelque chose qui est typique pour la France et qui va accompagner la journée : la baguette qu'on achète le matin toute chaude pour le petit déjeuner. C'est formidable !

Le midi est le repas le plus important de la journée. Le midi est constitué par une entrée, un plat principal, le fromage, qui est, bien sûr, mangé avec de la baguette et le dessert. Le dîner se présente de la même façon. Pour le midi et le dîner, le vin est presque obligatoire comme boisson pour les adultes.

Les repas sont une des choses les plus importantes en France, parce qu'on pense que c'est pendant qu'on mange qu'on a la possibilité de discuter et de raconter sa journée à la famille. Les enfants ne peuvent pas comme en Norvège ouvrir le frigo en rentrant de

l'école pour manger tout seuls. On doit tous manger ensemble en France, et j'ai trouvé ces longs repas en famille sympas.

La politesse

La deuxième chose qui est très différente de la Norvège et qui n'y existe presque pas, ce sont les formes de politesse.

Quand on rencontre quelqu'un, dans la rue ou devant le lycée ou n'importe où, on lui fait la bise, c'est-à-dire qu'on lui donne une bise sur la joue gauche, puis une sur la joue droite, après encore une sur la gauche et encore une sur la droite. Mais attention les hommes : c'est la femme qui propose de faire la bise en premier, pas l'homme. Les garçons se serrent la main ou se tapent dans la main entre eux. Il y a donc presque toujours un contact physique quand on rencontre quelqu'un.

La vie scolaire

Après 4 ans au collège (de la 6e à la 3e), les Français rentrent au lycée (trois ans, de la seconde à la terminale). Moi, j'ai suivi l'emploi du temps de la seconde : je suis allée dans la classe de ma correspondante tous les jours avec elle, et j'ai participé à la classe. C'était un peu difficile au début, surtout en maths et en histoire. La journée française est presque entièrement prise par l'école : Elle commence à 8 h 15. Après quatre fois 55 minutes de cours, les élèves ont une récréation de 90 minutes, pendant laquelle ils ont la possibilité de manger à la cantine ou au foyer. Le foyer des élèves est une salle où ils peuvent manger seulement ce qu'ils ont apporté de la maison en regardant la télé ou en écoutant de la musique. À la cantine, on sert un repas de midi normal. L'après-midi se passe aussi à l'école jusqu'à 5 h et demie. Seule exception : le mercredi après-midi. Je trouve qu'on est strict et même sévère à l'école française : tous les mardis matin, il y avait un contrôle ou un devoir surveillé, et donc il fallait travailler pour se préparer à ça. Et puis, les bulletins de notes et les bulletins d'absences sont envoyés aux parents, même pour les élèves de terminale qui ont plus de 18 ans et qui sont donc majeurs. C'est un peu dur !

Pourquoi faire un échange ?

Le but principal d'un échange est évidemment d'améliorer la langue étrangère et de mieux connaître un pays. Dès qu'on passe la frontière, on découvre une nouvelle culture. On fait la connaissance de coutumes ou d'habitudes étrangères qui vont nous plaire, qui vont nous étonner ou qu'on ne va jamais bien comprendre. Moi, j'ai fait de gros progrès en français (mais ma correspondante a corrigé ce texte avant de le mettre sur le site, et il y avait pas mal de petites fautes d'orthographe et autres).

En plus, on peut dire qu'on ne fait pas seulement la connaissance d'une nouvelle culture, mais on découvre aussi sa propre culture et sa propre langue, parce que, pendant l'échange, on est souvent obligé de parler de son pays, et souvent on compare la vie française à sa propre vie, ce qui fait voir des choses qu'on avait jamais remarquées sur soi-même et son pays.

http://www.ingridrs@vgsoslo.no

Oral

Décrivez et interprétez cette photo.

🗨️ Décrivez la photo pour votre voisin(e). Posez-lui ensuite des questions sur les problèmes évoqués par la photo.

Écrit 1 (compréhension)

Lisez ce texte et répondez aux questions.

Courrier des lecteurs : *à propos d'argent de poche*

Charlotte a pu très tôt – dès l'âge de 5 ou 6 ans – s'acheter des choses toute seule. Nous lui donnions quelques pièces à la boulangerie, et elle choisissait et payait ses bonbons toute seule comme une grande.

C'est comme ça que ça a commencé. Charlotte a maintenant 12 ans, et ça continue aujourd'hui, comme avec son petit frère Nicolas : nos enfants nous expliquent ce dont ils ont besoin, et nous leur donnons de l'argent pour qu'ils l'achètent. Nous préférons ce système.

L'argent de poche régulier n'est ni éducatif ni sain pour les enfants. Pas plus que de leur donner l'argent quand ils rangent leur chambre ou quand ils nous aident à la maison. Dans une famille on doit tous s'aider, et je pense qu'il n'est pas normal ni sain de donner de l'argent aux enfants qui participent aux activités normales de la famille.

Quand on leur donne de l'argent de poche, les enfants ne parlent plus des questions d'argent avec les parents, et je n'aime pas ça. Chez nous, nous parlons souvent d'argent entre nous, et les enfants savent que ce n'est pas pour surveiller ou contrôler ce qu'ils achètent : l'argent ne doit être ni un tabou, ni une faveur, mais simplement quelque chose qu'on utilise quand on en a besoin, dans les limites du possible.

D. Arcand, Paris

1 Qui parle ?

2 De quoi parle cette personne ?

3 Vrai ou faux ?

Charlotte et Nicolas reçoivent de l'argent de poche.	Vrai ☐	Faux ☐
Ils reçoivent de l'argent quand ils font les courses.	Vrai ☐	Faux ☐
Ils reçoivent de l'argent quand ils rangent leur chambre.	Vrai ☐	Faux ☐
Ils reçoivent de l'argent quand ils en demandent.	Vrai ☐	Faux ☐

Écrit 2 (expression)

PF 🖊️ Expliquez ce que vous pensez du « système » de cette personne à propos de l'argent de poche des enfants (minimum : 80 mots).

Évaluation

① Compréhension *(20 points)*

A. Classez les phrases qui suivent : la personne qui parle est sûre ou pas, contente ou pas, d'accord ou pas. Attention, il peut y avoir plusieurs réponses…

1. Tu n'es jamais de mon avis, tu es désagréable !

2. C'est l'horreur, ce truc !

3. Tu m'agaces, à la fin.

4. Ça m'étonnerait ! Je pense que vous vous trompez.

5. Je le suppose.

6. Il est pénible. Il a sans doute à nouveau perdu la clé…

7. Je suis certain qu'elle est revenue à 7 h.

8. Moi, je suis contre. C'est certainement une erreur.

9. Avec plaisir.

10. Je le devine seulement.

sûr	pas sûr	content	pas content	d'accord	pas d'accord

B. Classez les phrases qui suivent : on peut les entendre où ?

1. Je pourrais voir la carte, s'il vous plaît ?

2. Est-ce qu'il y a des hôtels à proximité ?

3. Vous me donnez 3 côtelettes, s'il vous plaît ?

4. Je vous dois combien ?

5. Vous avez de l'huile d'olive ?

6. Ce sera tout ?

7. Je peux avoir du sel ?

8. Voici votre note, monsieur.

9. Nous avons besoin de quelques conseils.

10. Un aller-retour.

la gare	l'office du tourisme	l'hôtel	la boucherie	l'épicerie	le restaurant

② Connaissance du lexique *(10 points)*

Quel est le substantif qui correspond au verbe ? Écrivez-le avec l'article un / une ou la / les.

1. nager .... **2.** plaire .... **3.** goûter .... **4.** renseigner ....

.... **5.** consommer .... **6.** noter .... **7.** se promener ....

8. commander .... **9.** proposer .... **10.** protéger ....

③ Connaissance de la langue *(10 points)*

Complétez avec un pronom personnel (le, la, me, toi, eux, en…).

Hier, j'ai rencontré Marie et j'… suis très content : je … ai vue dans la rue, je … ai dit bonjour, nous … sommes parlé. Je … ai raconté mes vacances. On … rencontrera peut-être à nouveau ce soir : je … invitée à aller au cinéma avec … , et elle … a répondu qu'elle allait essayer de venir. Depuis ce matin, je ne pense qu'à … !

④ Expression écrite *(20 points)*

PF ✍ Écrivez un texte (de 70 mots) où vous racontez la vie compliquée d'une personne imaginaire.

Mémento grammatical

Les nouveautés grammaticales étant introduites progressivement, ce mémento permet de regrouper les connaissances autour de notions grammaticales en en donnant une vision d'ensemble.

LES DÉTERMINANTS

| | Articles définis | | Art. indéfinis | Art. partitifs | Adj. démons-tratifs | Adjectifs possessifs | | | | | | Adj. interro-gatifs | Adj. indéfi-nis* |
	avec à	avec de											
masculin (devant a, e, i, o, u)	le l'	au à l'	du de l'	un	du de l'	ce cet	mon	ton	son	notre	votre	leur	quel	tout
féminin (devant a, e, i, o, u)	la l'	à la à l'	de la de l'	une	de la de l'	cette	ma mon	ta ton	sa son	notre	votre	leur	quelle	toute
pluriel	les	aux	des	des		ces	mes	tes	ses	nos	vos	leurs	quels quelles	tous toutes

* Utilisés avec un autre déterminant : tout le…, toute la…, tous mes…, toutes leurs…

LES PRONOMS

	❶	❷	❸	❹	❺	❻	❼
PRONOMS PERSONNELS	je / j' tu il elle on * nous vous ils elles	moi toi lui elle soi/ (nous)* nous vous eux elles	me/m' te/t' se/s' se/s' se/s' nous vous se/s' se/s'	me/m' te/t' le/l' la/l' (nous)* nous vous les les	me/m' te/t' lui elle (nous)* nous vous leur leur		
PRONOMS-ADVERBES				y	y	en	
PRONOMS RELATIFS	qui			que		où	

* **On** remplace souvent **nous** en langage familier parce qu'il est plus simple. (**Nous, on** part maintenant. = **Nous, nous** partons maintenant.)

❶ SUJET : **Je** vais bien. C'est vous **qui** connaissez bien la question.

❷ TONIQUE : <u>Insistance</u> : **Moi**, je travaille le dimanche.
        <u>Après préposition</u> : C'est différent chez **eux**. C'est pour **moi** ?
        <u>Après « c'est, ce sont »</u> : C'est **vous** ? Ce sont bien **eux**.

❸ RÉFLÉCHI (avec verbe pronominal) : Je **me** promène. Ils **se** téléphonent tous les jours.

❹ COMPLÉMENT D'OBJET DIRECT (accusatif) :
   Je vais **le** vendre. C'est la couleur **que** vous avez choisie ?

❺ COMPLÉMENT D'ATTRIBUTION (datif, question « à qui ? ») :
   Il **lui** parle. Elle **leur** écrit un message électronique.

❻ **COMPLÉMENT DE LIEU (question « où ? »)** : Il **y** va demain. C'est l'usine **où** elle travaille.

❼ **COMPLÉMENT D'OBJET INDIRECT (question « de quoi ? »)** : Il **en** parle dans sa lettre.
ou COMPLÉMENT D'OBJET DIRECT AVEC ARTICLE INDÉFINI OU PARTITIF :
Il **en** a acheté. (en = de l'eau minérale, des fruits...) Il va **en** acheter un. (en = ordinateur)

LA PLACE DES PRONOMS COMPLÉMENTS (❸ ❹ ❺ ❻ ❼)

- **Ils se placent toujours avant le verbe ou l'auxiliaire du passé composé :**
  Je **le** vois. Il ne **lui** parle pas. J'**en** ai mangé. Il ne **les** a pas trouvés. Il faut **les** chercher !
  Je viens d'**y** aller. Je veux **leur** téléphoner. Il ne doit pas **se** lever. On va **en** prendre deux.
  N'**en** achetez pas !

- **Sauf pour les verbes à l'impératif à la forme affirmative :**
  Achetez-**en** ! Allons-**y** ! Regardez-**les** !

LA CONJUGAISON

La plupart des verbes sont réguliers. À l'infinitif, ils ont une terminaison en –er. Les verbes moins réguliers sont dans la liste p. 126 ; le numéro renvoie aux modèles de conjugaison des pages suivantes.

- **Le passé composé**
  Le participe passé des verbes en **–er** est toujours **–é**.
  Les participes passés des autres verbes sont indiqués dans les pages qui suivent.
  Il sont à mémoriser.

- **Le futur simple**
  Vous pouvez trouver la forme du futur simple si vous connaissez l'infinitif :

  futur = infinitif + terminaisons

  parler → je **parler**ai, prendr(e) → je **prendr**ai
  Seules les formes irrégulières sont indiquées pages suivantes.
  Les terminaisons sont toujours les mêmes :

  je ...**-ai**, tu ...**-as**, il / elle / on ...**-a**, nous ...**-ons**, vous ...**-ez**, ils / elles ...**-ont**

- **L'imparfait**
  Vous pouvez trouver la forme de l'imparfait si vous connaissez la forme au présent avec « vous » :

  imparfait = forme au présent avec vous + terminaisons

  prendre → vous **pren**ez → je **pren**ais
  Seules les formes irrégulières sont indiquées pages suivantes.
  Les terminaisons sont toujours les mêmes :

  je ...**-ais**, tu ...**-ais**, il / elle / on ...**-ait**, nous ...**-ions**, vous ...**-iez**, ils / elles ...**aient**

QUATRE VERBES À CONNAÎTRE PAR CŒUR

1 ÊTRE [ɛtr]	2 AVOIR [avwar]	3 FAIRE [fɛr]	4 ALLER [ale]
[sɥi] je suis	[ɛ] j'ai	[fɛ] je fais	[vɛ] je vais
[ɛ] tu es	[a] tu as	[fɛ] tu fais	[va] tu vas
[ɛ] il est	[a] il a	[fɛ] il fait	[va] il va
[ɛ] elle est	[a] elle a	[fɛ] elle fait	[va] elle va
[nɛ] on est	[na] on a	[fɛ] on fait	[va] on va
[sɔm] nous sommes	[zavõ] nous avons	[fəzõ] nous faisons	[zalõ] nous allons
[zɛt] vous êtes	[zave] vous avez	[fɛt] vous faites	[zale] vous allez
[sõ] ils sont	[zõ] ils ont	[fõ] ils font	[võ] ils vont
[sõ] elles sont	[zõ] elles ont	[fõ] elles font	[võ] elles vont
P. passé : été	**P. passé** : eu	**P. passé** : fait	**P. passé** : allé
Futur : je serai	**Futur** : j'aurai	**Futur** : ferai	**Futur** : irai
Imparfait : j'étais			

acheter 7
agacer 10
aller 4
appeler 9
apprendre 27
avoir 2
boire 25
changer 11
choisir 12
commencer 10
comprendre 27
connaître 14
construire 15
courir 20
croire 23
déménager 11
dépendre 18

déranger 11
descendre 18
devenir 28
devoir 26
dire 31
disparaître 14
dormir 13
écrire 16
emmener 7
ennuyer 8
entendre 18
envoyer 8
épeler 9
essayer 8
être 1
faire 3
falloir 34

lancer 10
lever 7
lire 15
manger 11
mettre 22
nager 11
naître 14
neiger 11
obtenir 28
offrir 19
ouvrir 19
paraître 14
payer 8
plaindre 24
plaire 15
pleuvoir 33
pouvoir 29

préférer 6
prendre 27
protéger 11
promener (se) 7
ranger 11
recevoir 26
recommencer 10
reconnaître 14
redevenir 28
réjouir 12
rendre 18
repartir 13
répéter 6
répondre 18
ressortir 13
réussir 12
revenir 28

rire 17
rougir 12
s'asseoir 32
savoir 21
servir 13
sortir 13
souvenir (se) 28
suivre 16
vendre 18
venir 28
vivre 16
voir 23
vouloir 30
voyager 11

LES VERBES RÉGULIERS en -er

Il y en a beaucoup : adorer, aimer, arrêter, arriver, chanter, chercher, conseiller, se coucher, déjeuner, se dépêcher, détester, dîner, entrer, habiter, manger, parler, passer, porter, quitter, se reposer, ressembler, rester, retourner, tourner, travailler, trouver…

5 PARLER [parle]		6 PRÉFÉRER [prefεre]	
[parl]	je parle tu parles il/elle/on parle ils/elles parlent	[prefεr]	je préfère tu préfères il/elle/on préfère ils/elles préfèrent
[parl…]	nous parlons vous parlez	[prefer…]	nous préférons vous préférez
P. passé : parlé		**P. passé** : préféré	

7 ACHETER [aʃəte]		8 ENNUYER [ɑ̃nɥije]		9 ÉPELER [epəle]	
[aʃεt]	j'achète tu achètes il/elle/on achète ils/elles achètent	[ɑ̃nɥi]	j'ennuie tu ennuies il/elle/on ennuie ils/elles ennuient	[epεl]	j'épelle tu épelles il/elle/on épelle ils/elles épellent
[aʃət…]	nous achetons vous achetez	[ɑ̃nɥj…]	nous ennuyons vous ennuyez	[epəl…]	nous épelons vous épelez
P. passé : acheté **Futur** : achèterai		**P. passé** : ennuyé **Futur** : ennuierai ⚠ **j'enverrai**		**P. passé** : épelé **Futur** : j'épellerai	
même chose pour **SE LEVER**, **EMMENER**…		même chose pour **PAYER**, **ENVOYER**, **ESSAYER**		même chose pour **(S')APPELER**, **RAPPELER**	

10 COMMENCER, AGACER	11 MANGER, CHANGER
[komɑ̃s] je commence tu commences il/elle/on commence ils/elles commencent	[mɑ̃ʒ] je mange tu manges il/elle/on mange, il neige ils/elles mangent
[komɑ̃s…] nous commençons vous commencez	[mɑʒ…] nous mangeons vous mangez
P. passé : commencé **Imparfait** : je commençais nous commencions	**P. passé** : mangé **Imparfait** : je mangeais, il neigeait nous mangions
même chose pour **PRONONCER, LANCER**	même chose pour **NAGER, VOYAGER…**

LES AUTRES VERBES À DEUX FORMES

12 CHOISIR	13 DORMIR/SORTIR	14 CONNAîTRE
[ʃwazi] je choisis tu choisis il/elle/on choisit	[dɔr]/[sɔr] je dors/sors tu dors/sors il/elle/on dort/sort	[konɛ] je connais tu connais il/elle/on connaît
[ʃwazis…] nous choisissons vous choisissez ils/elles choisissent	[dɔrm…]/[sɔrt…] nous dormons vous dormez ils/elles dorment	[konɛs…] nous connaissons vous connaissez ils/elles connaissent
P. passé : choisi	**P. passé** : dormi, sorti	**P. passé** : connu
même chose pour **RÉUSSIR, SE RÉJOUIR, ROUGIR**	même chose pour **PARTIR, SENTIR, SERVIR**	même chose pour **PARAÎTRE, DISPARAÎTRE**

15 LIRE/PLAIRE/CONSTRUIRE	16 SUIVRE/ÉCRIRE/VIVRE	17 RIRE
[li]/[plɛ] je lis/plais tu lis/plais il/elle/on lit/plaît	[sɥi]/[vi] je suis/ vis tu suis/ vis il/elle/on suit/vit	[ri] je ris – tu ris il/elle/on rit ils/elles/ont rit
[liz…]/[plɛz…] nous plaisons vous plaisez ils/elles plaisent	[sɥiv…]/[viv…] nous suivons/vivons vous suivez/vivez ils/elles suivent/vivent	[rij…] nous rions vous riez ils/elles rient
P. passé : lu, plu, construit	**P. passé** : suivi, écrit, vécu	**P. passé** : ri

18 ENTENDRE/RENDRE	19 OUVRIR/OFFRIR	20 COURIR
[ɑ̃tɑ̃] j'entends tu entends il/elle/on entend	[uvr] j'ouvre tu ouvres il/elle/on ouvre ils/elles ouvrent	[kur] je cours tu cours il/elle/on court ils/elles courent
[ɑ̃tɑ̃d…] nous entendons vous entendez ils/elles entendent	[uvr…] nous ouvrons vous ouvrez	[kur…] nous courons vous courez
P. passé : entendu, vendu	**P. passé** : ouvert, offert	**P. passé** : couru ⚠ **Futur : je courrai**
même chose pour **VENDRE, RÉPONDRE**		

21 SAVOIR	22 METTRE	23 CROIRE/VOIR	24 PLAINDRE
[sɛ] je sais tu sais il/elle/on sait	[mɛ] je mets tu mets il/elle/on met	[krwɑ] je crois [vwɑ] tu crois il/elle/on croit ils/elles croient	[plɛ̃] je plains tu plains il/elle/on plaint
[sav…] nous savons vous savez ils/elles savent	[mɛt…] nous mettons vous mettez ils/elles mettent	[krwaj…] nous croyons [vwaj…] vous croyez	[plɛɲ…] nous plaignons vous plaignez ils/elles plaignent
P. passé : su ⚠ **Futur : je saurai**	**P. passé :** mis	**P. passé :** cru, vu	**P. passé :** plaint

LES VERBES À TROIS FORMES

25 BOIRE	26 DEVOIR/RECEVOIR	27 PRENDRE/APPRENDRE
[bwa] je bois tu bois il/elle/on boit	[dwa] je dois/reçois tu dois/reçois il/elle/on doit/reçoit	[prɑ̃] je prends tu prends il/elle/on prend
[byv…] nous buvons vous buvez	[dəv…] nous devons/recevons vous devez/recevez	[prən…] nous prenons vous prenez
[bwav] ils/elles boivent	[dwav] ils/elles doivent/reçoivent	[prɛn] ils/elles prennent
P. passé : bu	**P. passé :** dû – reçu **Futur :** devrai	**P. passé :** pris, appris, compris
		même chose pour **COMPRENDRE**

28 VENIR/SE SOUVENIR	29 POUVOIR	30 VOULOIR
[vjɛ̃] je viens tu viens il/elle/on vient	[pø] je peux tu peux il/elle/on peut	[vø] je veux tu veux il/elle/on veut
[vən…] nous venons vous venez	[puv…] nous pouvons vous pouvez	[vul…] nous voulons vous voulez
[vjɛn] ils viennent	[pœv] ils/elles peuvent	[vœl] ils/elles veulent
P. passé : venu **Futur :** viendrai	**P. passé :** pu **Futur :** pourrai	**P. passé :** voulu **Futur :** voudrai
même chose pour **DEVENIR, OBTENIR**		

31 DIRE	32 S'ASSEOIR	33 PLEUVOIR
[di] je dis tu dis il/elle/on dit [diz…] nous disons ils disent [dit] vous dites	[aswa] je m'assois tu t'assois il/elle/on s'assoit ils/elles s'assoient [asɛj…] nous nous asseyons vous vous asseyez	il pleut il a plu il pleuvra il pleuvait
		34 FALLOIR
P. passé : dit	**P. passé :** assis **Futur :** je m'assiérai	il faut il a fallu il faudra il fallait

Table des matières

Séquence 1

Séquence 2

Séquence 3

CRÉDITS

Direction éditoriale : Michèle Grandmangin

Édition : Catherine de Bernis

Conception maquette : Anne-Danielle Naname

Conception couverture : Christian Blangez

Illustrations : Laurent Audouin, Dominique Hé, Christian Quennehen

Correction : Jean Pancreach

Recherche iconographique : Valérie Massignon

Cartographie : Graffito

Composition et mise en page : Anne-Danielle Naname

Photogravure : Tin Cuadra